Soda

Méthode de français

1

Cahier d'activités

Bruno Mègre
Lucile Chapiro
Dorothée Dupleix
Mélanie Monier
Nelly Mous

CLE
INTERNATIONAL
www.cle-inter.com

Crédits photos

5 ht	Ph.© Bertrand Guay / AFP
5 ht m	Ph.© Villard / Niviere / SIPA PRESS
5 m	Ph.© Studio Harcourt Paris / AFP
5 bas m	Ph.© Stephane Cardinale / People Avenue / CORBIS
5 bas	Ph.© Michael Caulfield / AMA 2011 / © AFP
36 ht g	Ph. Mat77002 / Fotolia
36 ht g	BIS / Ph.Andrea Seemann
36 bas g	BIS / Ph. Photonbleu
36 bas	Ph Vlad_g / Fotolia
47	Ph. © Ricahrd Soberka / HEMIS
90	Ph. © Seth / EDITIONS ALTERNATIVES
92 ht g	Ph. © Collection Dagli Orti / THE PICTURE DESK
92 ht d	Ph. © AFP
92 bas g	Ph.© AFP
92 bas d	Ph.© AFP / T
101	© Michel Bouvet/ Fête de la Musique / adcep
103	Ph.© Francesco Acerbis / SIGNATURES

Les droits de reproduction des illustrations sont réservés en notre comptabilité pour les auteurs ou ayants droit dont nous n'avons pas trouvé les coordonnées malgré nos recherches et dans les cas éventuels où les mentions n'auraient pas été spécifiées.

Direction de la production éditoriale : Béatrice Rego
Édition : Virginie Poitrasson
Création de maquette : Miz'en pages
Mise en pages : Domino
Iconographe : Danièle Portaz
Illustrations : Esteban Ratti, Oscar Fernandez

© CLE International®, 2012
ISBN : 978-209-038706-3

Table des matières

Bi**e**nvenue

1 Voici quelques célébrités françaises. Reliez une photo à un nom et à un métier comme dans l'exemple.

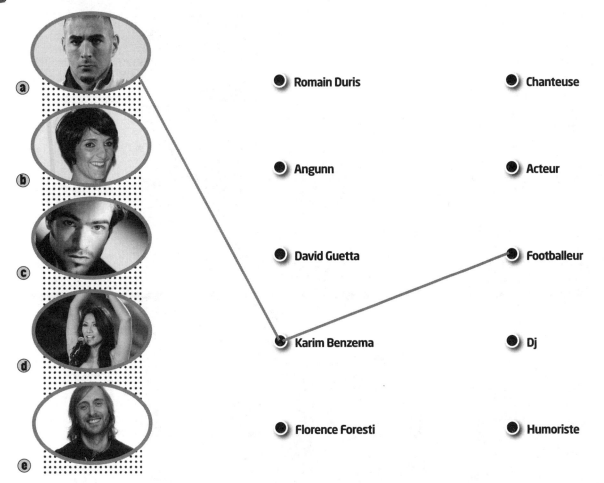

(a)

(b)

(c)

(d)

(e)

- Romain Duris
- Angunn
- David Guetta
- Karim Benzema
- Florence Foresti

- Chanteuse
- Acteur
- Footballeur
- Dj
- Humoriste

2 Maintenant, présentez ces personnalités comme dans l'exemple et faites des recherches sur Internet pour compléter les informations :

Photo A	Il s'appelle Karim Benzema. C'est un footballeur. Il est français. Il est né le 19 décembre 1987 à Lyon, en France.
Photo B	....
Photo C	....
Photo D	....
Photo E	....

Bonjour à tous !

1 Lisez la bande dessinée et complétez les bulles.

2 Écoutez le dialogue et complétez le texte en écrivant la salutation qui convient.

Emma : .... Mohammed, ... ?

Mohammed : .... Emma. Super bien et toi ?

Emma : Je vais très bien, merci. Voici Stella. Elle est anglaise et elle arrive de Londres.

Emma : : .... Stella, ... ? Je te présente mon copain de classe, Mohammed.

Mohammed : ...., Stella.

Stella : .... Mohammed. Tu es français ?

Mohammed : Non, je suis tunisien, mais je vis en France.

Emma : Et si on allait déjeuner ensemble à la cafétéria ?

Mohammed : Bonne idée !

Emma et Stella : Ok, super !

Qu*i* c'est ?

1 **Écoutez les 3 dialogues et complétez les fiches d'inscription.**

1
Club de sport Daumesnil

FICHE D'INSCRIPTION

NOM : ....

Prénom : ....

Date de naissance : ....

N° de téléphone : ....

2
Cours de musique de la ville

FICHE D'INSCRIPTION

....

NOM : ....

Prénom : ....

Âge : ....

3
Atelier théâtre

FICHE D'INSCRIPTION

NOM : ....

Prénom : ....

Âge : ....

N° de téléphone : ....

2 **Jeu de rôle.**
Vous souhaitez vous inscrire à un cours de natation.
À l'oral, jouez la scène à deux : l'un de vous joue le
jeune qui s'inscrit, l'autre l'employé qui remplit la fiche
d'inscription. Puis, inversez les rôles.

Piscine Château Landon

FICHE D'INSCRIPTION

NOM : ....

Prénom : ....

Date de naissance : ....

N° de téléphone : ....

3 **Écrivez les chiffres que vous entendez.**

a .... **f** ....

b .... **g** ....

c .... **h** ....

d .... **i** ....

e .... **j** ....

Êtes-vous français ?

1 D'où viennent-ils ?

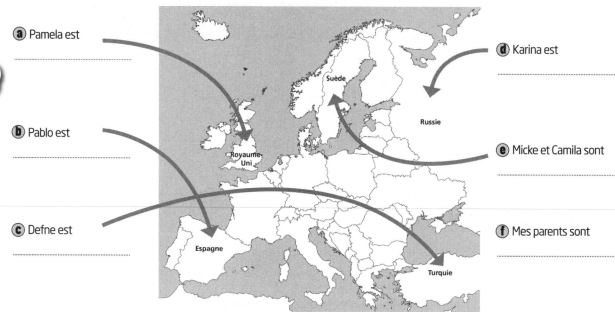

a Pamela est
....

b Pablo est
....

c Defne est
....

d Karina est
....

e Micke et Camila sont
....

f Mes parents sont
....

2 Écoutez le dialogue. Complétez ensuite le tableau avec les nationalités et les pays qui correspondent.

Prénoms	Nationalités	Pays
Abel		
Hassen		
Paula		
Arno		
Lubo		
Jeanne		
Kamila		
Carmen		

3 Reliez la question à la réponse qui correspond.

a Où habites-tu ? •

b Quel est ton numéro de téléphone ? •

c Quelle est ton adresse ? •

d Vous habitez dans quelle ville ? •

e De quel pays viens-tu ? •

f Où es-tu né(e) ? •

• **1.** Je suis né(e) à Lisbonne.

• **2.** 25 rue Saint Sauveur – 59000 Lille

• **3.** Je viens du Japon.

• **4.** C'est le 06 17 78 89 90.

• **5.** J'habite à Madrid.

• **6.** J'habite près du supermarché, derrière la mairie.

Écoutez bien !

1 Observez les 6 paires de mots et entourez le mot que vous entendez.

1.	nous	nu
2.	mule	moule
3.	chou	chut
4.	rue	roue
5.	dessous	dessus
6.	tu	tout

2 Écoutez les 6 paires de mots et notez si les sons sont identiques (=) ou différents (≠).

	=	≠
1.		
2.		
3.		
4.		
5.		
6.		

3 OU [u] ou OI [wa] ? Observez les 6 paires de mots et entourez le mot que vous entendez.

1.	mou	moi
2.	roi	roue
3.	soi	sous
4.	chou	choix
5.	quoi	cou
6.	tout	toit

4 OU [u], U [y] ou OI [wa] ? Écoutez les 6 mots et complétez-les avec le son que vous entendez.

1.	sal...........t
2.	rendez-v...........s
3.	au rev...........r
4.	c...........rs
5.	bons...........r
6.	à pl...........s

5 Entendez-vous 1 fois, 2 fois ou 3 fois le son [r] dans la phrase ? Cochez la bonne réponse dans le tableau.

	une fois	deux fois	trois fois
1.			
2.			
3.			
4.			
5.			
6.			

6 Écoutez les phrases et dessinez la liaison (‿) entre le sujet et le verbe comme dans l'exemple. Ensuite, écoutez une nouvelle fois et répétez les phrases.

Ex. : Ils‿ont 17 ans.

1. Il est né en 1996.

2. Elles habitent à Paris.

3. Nous avons une grande maison.

4. - Vous avez un cousin français ?

   - Non, il est belge.

5. - Vous êtes de quel pays ?

   - Nous habitons au Mexique.

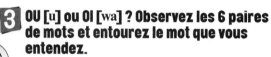

Portfolio

 Qu'avez-vous appris dans cette unité ?

Remplissez le tableau. Lorsque vous cochez ☺ ou ☹ révisez les pages concernées.

		☺	☺	☹
Je peux dire comment je m'appelle, donner mon nom, mon prénom.	à l'écrit			
	à l'oral			
Je peux épeler mon nom et mon prénom.	à l'écrit			
	à l'oral			
Je peux demander à quelqu'un comment il s'appelle.	à l'écrit			
	à l'oral			
Je peux donner mon âge et ma date de naissance.	à l'écrit			
	à l'oral			
Je peux demander à quelqu'un son âge et sa date de naissance.	à l'écrit			
	à l'oral			
Je peux donner ma nationalité.	à l'écrit			
	à l'oral			
Je peux demander à quelqu'un sa nationalité.	à l'écrit			
	à l'oral			
Je connais les adjectifs de nationalité au masculin et au féminin.	à l'écrit			
	à l'oral			
Je peux dire où j'habite et donner mon adresse.	à l'écrit			
	à l'oral			
Je peux demander à quelqu'un où il habite.	à l'écrit			
	à l'oral			
Je peux donner mon numéro de téléphone.	à l'écrit			
	à l'oral			
Je peux demander à quelqu'un son numéro de téléphone.	à l'écrit			
	à l'oral			
Je peux saluer quelqu'un et dire au revoir.	à l'écrit			
	à l'oral			
Je sais faire la différence entre « tu » et « vous » et je sais quand les utiliser.				
Je sais conjuguer les verbes au présent de l'indicatif.	à l'écrit			
	à l'oral			
Je connais les chiffres de 0 à 100.	à l'écrit			
	à l'oral			
Je peux poser des questions simples avec l'intonation ou l'inversion sujet/verbe.	à l'écrit			
	à l'oral			
Je peux faire des phrases négatives.	à l'écrit			
	à l'oral			
Je peux reconnaître et prononcer les sons U [y], OU [u] et OI [wa].				
Je peux prononcer le son [r].				
Je peux faire la liaison entre le sujet et le verbe.				
Je peux reconnaître et varier l'intonation.				
Je connais certains symboles, certaines personnalités et certains logos de l'espace francophone.				

Vis
ta vie !

Décrire le caractère de quelqu'un

Faire une description physique

Parler d'une personne et de ses centres d'intérêt

Demander des informations sur une personne

COmpréhension

 À l'oral

1 Retrouvez qui est qui. Une amie vous décrit ses correspondants francophones. Écrivez le prénom sous la bonne image et dites quelle activité il ou elle pratique.

Les garçons : Stéphane, Paul et Kevin
Les filles : Aurore, Julie et Sidonie

a

Prénom ....
Activités ....
....

b

Prénom ....
Activités ....
....

c

Prénom ....
Activités ....
....

d

Prénom ....
Activités ....
....

e

Prénom ....
Activités ....
....

f

Prénom ....
Activités ....
....

2 Rencontres amoureuses ! Des jeunes laissent des messages sur Radio Ado. Complétez le tableau et trouvez qui peut plaire à chacun.

	Nasséra	Albert	Lucie
Taille			
Cheveux			
Yeux			
Particularités			

Qui peut plaire à...

- Nasséra ? ....

- Albert ? ....

- Lucie ? ....

Paul

Gaëlle

Pablo

Mio

Real

Yvan

À l'écrit

1 ✳ **Trouvez l'adjectif qui caractérise ces personnes.**

drôle - grand - joyeux - travailleur - sportif

ⓐ Il rit tout le temps, il est toujours content, il est ....

ⓑ Tous les jours, après l'école, il va au stade, il est très ....

ⓒ Il fait toujours le clown, il est ....

ⓓ Il est plus .... que tous ses frères. Il mesure presque 1 m 95.

ⓔ Il étudie toute la journée. Il ne s'amuse jamais, il est vraiment ....

2 ✳✳ **Une entreprise cherche deux personnes pour travailler cet été. Observez les fiches de présentation de 6 candidats.**

CHARLOTTE
- 16 ans
- 1 m 70
- travaille beaucoup
- danse classique (7 ans)

CÉDRIC
- 18 ans
- 1 m 78
- a beaucoup d'amis
- basket (5 ans)

DELPHINE
- 17 ans
- 1 m 55
- fait beaucoup d'activités différentes
- rugby (2 ans)

JOBS POUR L'ÉTÉ

➤ Recherche jeune fille dynamique, grande et travailleuse

➤ Recherche jeune homme taille moyenne, sportif et musclé

PIERRE
- 14 ans
- 1 m 68
- lit beaucoup
- champion de maths

SYLVIE
- 15 ans
- 1 m 60
- regarde beaucoup la télé
- aime faire la cuisine

ANTOINE
- 16 ans
- 1 m 58
- joue aux jeux vidéos
- aime le cinéma

ⓐ Qui est le plus jeune ? ....

ⓑ Qui est le plus âgé ? ....

ⓒ Qui est le plus grand ? ....

ⓓ Qui est le plus petit ? ....

ⓔ Qui est le plus sportif ? ....

ⓕ Qui est le plus sérieux ? ....

ⓖ Quels sont les deux meilleurs candidats pour cette annonce ? ....

ⓗ Qui dans la classe peut aussi postuler ? ....

Vocabulaire

1 ✳ ✳ **Retrouvez les adjectifs suivants (à la verticale, à l'horizontale, en diagonale).**

GRAND – PETITE – MOYEN – GROSSE – MINCE – MUSCLÉ –BLOND – BRUNE – CHÂTAIN – LONGS – COURTS

G	R	O	S	S	E	S	O	L	N	B	S
R	P	T	Y	U	T	V	D	G	Z	H	C
A	R	L	N	R	I	F	G	V	O	A	I
N	C	H	U	C	H	M	U	S	C	L	E
D	L	O	N	X	A	A	O	U	I	B	G
A	C	G	B	G	H	O	C	Y	D	R	P
Z	G	V	J	T	R	L	P	I	E	U	M
I	B	O	Y	G	W	R	X	P	A	N	O
G	B	L	A	L	P	E	T	I	T	E	N
E	D	N	O	O	C	C	A	P	E	L	A
H	G	K	I	N	C	H	A	T	A	I	N
A	S	Y	I	G	D	Q	U	E	S	T	E
K	U	M	C	S	G	I	A	N	F	U	J

2 ✳ **Entourez la bonne réponse.**

Zoé
Zoé est...
a. blonde.
b. brune.
c. châtain.

Lucas
Lucas a les cheveux...
a. courts.
b. longs.
c. frisés.

Max
Max est...
a. grand.
b. petit.
c. de taille moyenne.

Lilli
Lilli est...
a. musclée.
b. grosse.
c. mince.

3 ✳ **Entourez la bonne réponse.**

ⓐ Quelle est sa taille ?
1. Elle est brune.
2. Elle est grande.
3. Elle est drôle.

ⓑ Ce garçon est joyeux.
1. Tu as raison, il est ennuyeux.
2. Tu as raison, il est blond.
3. Tu as raison, il est drôle.

ⓒ Tu trouves qu'il est gentil ?
1. Oui, il est très strict.
2. Non, il est petit.
3. Oui, il est génial.

ⓓ Lulu a de beaux cheveux.
1. Oui, ils sont minces.
2. Oui, ils sont longs.
3. Oui, ils sont musclés.

4 ✳ ✳ **Complétez les phrases et remplissez la grille avec les mots devinés. Dans la colonne apparaît un autre mot. Lequel ?**

danse –sport – guitare – cinéma - shopping - chanter

ⓐ Samedi, je vais acheter des vêtements, je vais faire du ....

ⓑ Ce soir, je vais voir un film, je vais au ....

ⓒ Je suis musicien dans un groupe de rock. Je joue de la ....

ⓓ Je fais du basket et du football. J'adore le ....

ⓔ J'adore ce groupe, j'aime .... leurs chansons.

ⓕ Je prends des cours de .... hip-hop.

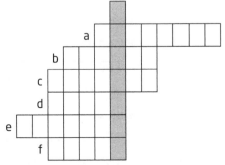

Phonétique

1 ✳✳ **Indiquez d'une croix (X) si vous entendez le son [œ̃] un, [ɑ̃] an ou [ɔ̃] on.**

		[œ̃] un	[ɑ̃] an	[ɔ̃] on
1.	Blond			
2.	Sympa			
3.	Grande			
4.	Long			
5.	Danser			
6.	Brun			
7.	Blonde			
8.	Mince			
9.	Grand			
10.	Moyen			
11.	Ennuyeux			
12.	Marron			

2 ✳ **« Le » ou « les » ? Indiquez d'une croix (X) si les mots que vous entendez sont au singulier (S) ou au pluriel (P).**

	S	P
1.		
2.		
3.		
4.		
5.		
6.		
7.		
8.		
9.		
10.		

3 ✳ **Indiquez d'une croix (X) si vous entendez le son [s] comme dans « cinéma » ou le son [z] comme dans « musique ».**

	Le son [s]	Le son [z]
1.		
2.		
3.		
4.		
5.		
6.		
7.		
8.		
9.		
10.		
11.		

4 **Écoutez et soulignez en vert le son [œ̃] un, en bleu le son [ɔ̃] on et en noir le son [ɑ̃] an.**

1. Ludo est grand, brun, il a les yeux marron. On s'entend bien !

2. Zoé est une grande blonde aux yeux bruns. Elle est danseuse.

3. Ils prennent des cours de conduite ensemble.

4. Les chansons de ce groupe sont géniales et le chanteur est beau garçon, non ?

5. J'aime bien les cheveux longs et les yeux marron, mais j'ai les cheveux courts et j'ai les yeux bleus !

5 ✳ **Écoutez et soulignez en vert le son [z] et en bleu le son [s].**

1. J'adore ce site Internet. Il y a toujours des choses intéressantes.

2. Zoé ? Elle est mince et grande. Elle est chanteuse et actrice.

3. Ce soir, Isabelle pense aller voir le spectacle de sa danseuse préférée.

4. Ce film est amusant, mais l'actrice principale est ennuyeuse.

6 ✳✳ **Liaison ou pas ? Écoutez et écrivez ce signe [‿] si vous entendez une liaison.**

1. Les amis de mes amis sont mes amis !

2. Ils ont de beaux cheveux longs.

3. Ils aiment les mêmes choses.

4. Ils sont ennuyeux tous les deux.

5. Nous avons des amis espagnols.

Grammaire

✱ Les pronoms toniques et les pronoms personnels sujets

1 ✱ **Écoutez les messages. Associez le numéro du message à l'image correspondante. Ensuite, écoutez à nouveau les messages et écrivez dans le tableau, le pronom personnel sujet et le pronom tonique que vous entendez.**

	Message n°...	Message n°...	Message n°...	Message n°...
Pronom personnel				
Pronom tonique				

	Message n°...	Message n°...	Message n°...	Message n°...
Pronom personnel				
Pronom tonique				

✱ L'accord en genre et en nombre des adjectifs

2 ✱✱ **Complétez les phrases suivantes avec les adjectifs donnés. Attention, n'oubliez pas d'accorder les adjectifs !**

espagnol - drôle - sympathique - strict - joyeux - sportif - bon

(a) Mes amis sont très .... Je m'amuse beaucoup avec eux.

(b) Paula adore le foot. Elle est très .... En classe, elle n'a pas de très .... notes.

Mais c'est une amie ....

(c) Pablo et Miguel viennent de Madrid ; ils sont .... Ils habitent en France depuis 2 ans.

Ils ne sortent pas beaucoup parce que leurs parents sont ....

(d) Julie aime sortir, voir ses amis. Elle est très ....

✱ Le pluriel des noms et des adjectifs

3 ✱ **Mettez au pluriel les mots entre parenthèses.**

(a) Génial ! Tu as vu ces (chaussure rouge) ...., qu'est-ce qu'elles sont (belle) .... je vais les acheter !

(b) Zoé et Luca sont des (ami sympa) ...., ils sont toujours (joyeux) ....

(c) Luce et sa sœur sont (grande) .... et (châtain) ....

(d) Fred et Ludo sont (frère) ...., ça se voit !

(e) Mes parents sont (gentil) ...., mais parfois ils sont trop (sévère) ....

(f) J'adore aller faire du shopping dans les (grand centre commercial) ....

4 ✳✳ **Faites des phrases en utilisant les adjectifs pour décrire les 3 images.**

blond - beau - gentil - joyeux - grand - frisé - souriant - jeune - brun - sévère - sympathique

ⓐ Ils sont ....   ⓑ Il est ....   ⓒ Elle a / elle est ....

 ## Les articles définis et indéfinis et contractés

5 ✳ ✳ **Complétez les phrases suivantes avec l'article qui convient.**

ⓐ Après les cours, je rentre à .... maison, je mange .... gâteaux pour le goûter et je travaille un peu. Le soir, je vais .... cinéma ou je lis .... livre.

ⓑ .... lundi, je vais à .... piscine et le jeudi je joue .... foot.

ⓒ Mon meilleur ami s'appelle Karim. Il a .... groupe de rap. J'écris .... chansons et je joue de .... guitare dans leur groupe.

ⓓ Pendant .... vacances, j'aime aller à .... montagne. J'adore .... ski.

Les adjectifs possessifs

6 ✳ **Julien vous parle de sa famille. Complétez les phrases avec les adjectifs possessifs manquants :**

mon – ma – mes – son – ses – notre – nos

.... père s'appelle Henry, il a 38 ans. Il est grand. .... cheveux sont bruns et .... yeux sont verts.

.... mère s'appelle Anne, elle a 37 ans. Elle est mince. .... cheveux sont blonds et .... yeux sont marron.

J'ai un frère et une sœur. .... frère a 7 ans, il s'appelle Enzo. Il est petit.

.... yeux sont marron et .... cheveux sont bruns. .... sport préféré, c'est le badminton.

.... sœur a 12 ans, elle s'appelle Émilie. .... cheveux sont blonds et .... yeux sont bleus.

.... passe-temps favori : chatter sur Internet avec ses copines !

.... chien s'appelle Roxy.

Nous avons une grande maison. .... maison est près du lycée, c'est pratique.

.... grands-parents n'habitent pas loin non plus, nous passons souvent .... dimanches chez eux.

Écouter

 1 ✳ **Écoutez et notez le numéro sous l'image qui correspond. Attention, il y a 4 enregistrements et 5 dessins !**

ⓐ .... ⓑ .... ⓒ .... ⓓ .... ⓔ ....

 2 ✳✳ **Écoutez l'émission de radio «Parole aux jeunes» et répondez aux questions.**

ⓐ Quel est le thème de l'émission ?

❏ L'amour   ❏ L'amitié   ❏ Les goûts

ⓑ Pour Yassine, quelle qualité principale doit avoir un ami ?

....

ⓒ Quelle est la principale qualité de Fatou?

....

ⓓ Que pense Maxime de son meilleur ami ?

❏ Il est un peu ennuyeux.   ❏ Il rit tout le temps.   ❏ Il l'aide toujours.

3 ✳✳ **Écoutez et complétez la page de l'agenda d'Emma.**

Lundi 22	Mardi 23	Mercr. 24	Jeudi 25	Vendr. 26	Samedi 27	Dimanche 28
8				8		
9				9		
10				10		
11				11		
12				12		
13				13		
14				14		
15				15		
16				16		
17				17		
18				18		
19				19		
20				20		
21				21		

Parler

1 ✳ **Portrait(s). Choisissez un portrait et décrivez la personne que vous voyez. Imaginez ensuite quel est son caractère.**

a

b

c

2 ✳ **Personne célèbre**

ⓐ Choisissez une personne célèbre que vous aimez bien (un chanteur, une actrice, un sportif).

ⓑ Écrivez toutes les informations que vous connaissez sur cette personne (son physique, son caractère, ses passions).

ⓒ Présentez cette personne à la classe.

ⓓ Demandez aux élèves s'ils ont des questions à poser sur cette personne.

3 ✳✳ **À la radio**

ⓐ Vous participez à l'émission de radio « Parole aux jeunes ».

ⓑ Vous devez présenter votre meilleur(e) ami(e). Vous devez...
- décrire son physique (taille, cheveux, signes particuliers) ;
- décrire son caractère ;
- dire les activités qu'il/elle aime faire.

4 ✳ **Mon/ma meilleur ami(e)**

ⓐ Quelles sont les qualités essentielles chez un ami ? Préparez un exposé de 2 minutes.

ⓑ Comparez votre réponse avec celle de votre voisin/voisine.

5 ✳✳ **Programme des vacances**

Avec votre voisin/voisine :

ⓐ Dites quelles sont vos activités préférées (sportives, artistiques ou culturelles).

ⓑ Dites ce que vous faites le week-end et pendant vos vacances.

6 ✳✳ **Sondage**

ⓐ Organisez un sondage dans la classe.

ⓑ Notez deux adjectifs qualificatifs (une qualité + un défaut) pour décrire une fille si vous êtes un garçon ou pour décrire un garçon si vous êtes une fille.

ⓒ Écrivez au tableau la liste des résultats en faisant une colonne pour les filles et une pour les garçons.

ⓓ Commentez les résultats avec vos camarades.

Écrit

🐧 Lire

1 ＊ RDV à l'aéroport. Lisez le courriel et répondez aux questions.

ⓐ Quelle est la taille de Manon ?

_____

ⓑ Comment sont les cheveux de Manon ?

_____

ⓒ De quelle couleur sont les lunettes de Manon ?

_____

ⓓ Qui est Manon ?

_____

| ☰▾ | De : [_____] | Signature : | Aucune ⬍ |

Bonjour Nicolas,
Je suis Manon ta correspondante canadienne. J'arrive à Paris le 17 décembre, à l'aéroport Roissy Charles de Gaulle à 17h56 avec mon copain Ismaël. Je te donne quelques indications pour me reconnaître. Je suis grande (1m75) et mince. Mes cheveux sont longs et noirs. Mes yeux sont bleus et je porte des lunettes grises. Mon copain, Ismaël est très grand. Il est un peu gros et assez musclé. Il a les cheveux frisés et les yeux verts. J'espère que ces informations vont t'aider ;)
Est-ce que tu peux me dire comment tu es ? Ça va être plus facile pour se retrouver.
À très bientôt, bises
Manon

ⓔ Donne 2 caractéristiques physiques d'Ismaël :

- _____   - _____

ⓕ De quelle couleur sont les yeux d'Ismaël ?

☐ Bleus   ☐ Noirs   ☐ Verts

2 ＊ Petites annonces. Reliez les petites annonces aux fiches des jeunes qui correspondent.

ⓐ Restaurant cherche étudiant pour petits travaux en cuisine pendant les vacances scolaires. Envoyer un mail à restauParis@france.com

1 Marie, 16 ans, adore la musique et veut apprendre à jouer d'un instrument de musique.

ⓑ Pablo, professeur de guitare, donne cours particulier à domicile. 11 € de l'heure. Tel : 06 16 78 89 78

2 Nafissa, 16 ans veut passer son permis de conduire.

ⓒ L'école de l'Opéra de Paris propose un stage d'initiation à la danse classique du 16 au 25 février. Renseignements et tarifs au 01 56 67 78 89.

3 Chloé, 17 ans, adore faire la cuisine. Elle cherche un travail pendant les grandes vacances.

ⓓ Tu as 16 ans et tu veux apprendre à conduire ? L'auto-école du Pont propose des stages de conduite à tarif réduit. Viens te renseigner à l'auto-école : 15 rue des Mimosas à Marseille.

4 Dylan 16 ans, veut pratiquer une nouvelle activité. La danse ou le théâtre.

3 ＊＊Forum. Lisez le forum puis répondez aux questions.

Bonjour à tous !
Je voudrais savoir ce que les filles pensent des garçons et ce que les garçons pensent des filles. Pouvez-vous me dire quelles sont les qualités et les défauts que vous trouvez chez les filles ou les garçons ? Merci beaucoup pour votre aide.
À très bientôt. Laura ☺

Julien : Je trouve que les filles sont plus sérieuses que les garçons. ☹
Parfois, elles sont même un peu ennuyeuses ! Elles pensent trop aux études.

Léa : Pour moi les garçons ne sont pas assez sérieux, ils passent leur temps à regarder la télévision et à surfer sur Internet. ☹

Maxime : Julien, je te trouve trop dur ! Moi je trouve que les filles sont très drôles. Elles sont toujours joyeuses et de bonne humeur. Je ne suis pas d'accord avec Léa, moi je suis un garçon très sérieux !

Natalia : Moi, je suis d'accord avec Léa ! J Mais je trouve quand même que les garçons sont géniaux et sympas. ☺ Ils veulent toujours faire plein d'activités et on ne s'ennuie pas !

ⓐ À qui s'adresse le message de Laura ? ....

ⓑ Que demande Laura ? ....

ⓒ Pourquoi Léa pense-t-elle que les garçons ne sont pas sérieux ?
☐ Ils ne font pas attention aux études.
☐ Ils font trop de sport.   ☐ Ils sont drôles.

ⓓ Qui pense que les filles sont amusantes ?
☐ Julien   ☐ Léa   ☐ Maxime

ⓔ Que pense Natalia des garçons ?

....

Écrire

1 ✳ **Votre meilleur(e) ami(e)**

Décrivez votre meilleur(e) ami(e). Comment est-il/elle physiquement ? Quel est son caractère ?

....

....

....

....

....

2 ✳ ✳ **L'homme ou la femme idéal(e)**

Décrivez l'homme ou la femme idéal(e) pour vous.

....

....

....

....

....

3 ✳ **Vos activités**

Quelles activités faites-vous le week-end ou pendant les vacances ? Remplissez votre agenda :

Lundi 22	Mardi 23	Mercr. 24	Jeudi 25	Vendr. 26	Samedi 27	Dimanche 28
8				8		
9				9		
10				10		
11				11		
12				12		
13				13		
14				14		
15				15		
16				16		
17				17		
18				18		
19				19		
20				20		
21				21		

Qu*i*z civi

1 ★ Lisez ce message et répondez aux questions.

FORUM : VOS JEUX VIDÉO PRÉFÉRÉS

De :
Guyom17

Salut ! Vous connaissez Habbo ? C'est génial !
C'est un monde virtuel. Pour se déplacer, on choisit
un avatar. Avec cet avatar, je visite de nouveaux
endroits, je rencontre de nouvelles personnes, je
vis une nouvelle vie... J'habite dans le Habbo Hôtel.
J'ai une télé à écran géant et une piscine dans ma
chambre ! Et j'ai aussi un studio de musique !
Je vais à des concerts, à des fêtes... et je peux tout
acheter avec des crédits Habbo, l'argent utilisé sur
le site... C'est comme dans la vraie vie sauf que
tout se passe sur Internet.
Inscrivez-vous ! ☺

Posté le 23 janvier à 21:43:03

ⓐ Qu'est-ce que le site Internet Habbo ?

ⓑ Qu'est-ce qu'un avatar ?
  ❑ Un jeu vidéo.
  ❑ Un héros de film.
  ❑ Un personnage sur Internet.

ⓒ Citez trois choses que l'on peut faire sur Habbo.
  1.
  2.
  3.

ⓓ Connaissez-vous d'autres sites de mondes virtuels ? Lesquels ?
Décrivez-les.

2 ★★ Quiz sur Internet

Répondez aux questions en cherchant des informations sur Internet.

ⓐ Depuis quand le mot « Internet » existe-t-il ?
  ❑ 1975.
  ❑ 1983.
  ❑ 1991.

ⓑ Comment s'appelle le signe @ en français ?
  ❑ Une arobase.
  ❑ Une accroche.
  ❑ Une apostrophe.

ⓒ Quel autre mot signifie « message électronique » ?
  ❑ Maille.
  ❑ Courriel.
  ❑ Cormeil.

ⓓ Comment s'appelle la caméra connectée à un ordinateur ?
  ❑ Une webcam.
  ❑ Une internetcam.
  ❑ Une caméraPC.

ⓔ Quel site Internet est français ?
  ❑ Yahoo.
  ❑ YouTube.
  ❑ Dailymotion.

ⓕ Quand un site se termine par « .ue », où a-t-il été créé ?
  ❑ Aux États-Unis.
  ❑ Aux Émirats arabes unis.
  ❑ Dans l'Union européenne.

ⓖ Que représente la lettre « s » dans « https » ?
  ❑ Secret.
  ❑ Sécurisé.
  ❑ Spécialité.

ⓗ Que signifie « pirater » sur Internet ?
  ❑ Envoyer des messages de publicités.
  ❑ Se connecter à un site Internet interdit.
  ❑ Télécharger de la musique ou des vidéos sans payer.

Comment bien comprendre un texte ou un document sonore ?

Pour vos études de français, vous devez lire des textes, des annonces, des lettres, des courriels, des articles. Vous devez aussi écouter des documents sonores : dialogues, émissions de radio, publicité, message téléphonique, annonce publique, chanson...
Quelquefois, c'est difficile parce que :

- Les textes sont longs.
- Les gens parlent vite.
- Il y a des mots que vous ne comprenez pas.
- Vous êtes nerveux.
- Vous êtes en examen.
- Le thème du texte ou du document sonore ne vous intéresse pas.

Mais, souvent, vous ne comprenez pas parce que vous oubliez quelques règles importantes.

Pour vous aider à comprendre un texte ou un document sonore, voici quelques conseils :

1. **Pour les textes et les documents sonores :** Avant de lire ou d'écouter un document, vous avez toujours une ou deux minutes pour lire les questions. Prenez ce temps pour lire les questions en premier. Ne cherchez pas à répondre, lisez ! Les questions vont vous donner des informations sur :
   a. le thème général
   b. la nature du document (article, lettre / émission de radio, message...)
   c. le vocabulaire
   d. les personnes présentées dans le document

2. **Pour les documents écrits (lettres, articles, messages...) :** Lisez deux fois le document avant de répondre aux questions. Pour finir, lisez une troisième fois. Corrigez vos réponses si c'est nécessaire.

3. **Pour les documents sonores (émissions de radio, messages téléphoniques, annonces publiques...) :** Vous avez toujours deux écoutes. À la première écoute, écoutez, c'est tout. À la deuxième écoute, écoutez et répondez. Pour finir, relisez les questions. Corrigez vos réponses si c'est nécessaire.

Portfolio

Qu'avez-vous appris dans cette unité ?

Remplissez le tableau. Lorsque vous cochez ☺ ou ☹ révisez les pages concernées.

		☺	☺	☹
Je peux me décrire physiquement.	à l'écrit			
	à l'oral			
Je peux décrire physiquement une personne.	à l'écrit			
	à l'oral			
Je peux décrire ma personnalité.	à l'écrit			
	à l'oral			
Je peux décrire la personnalité d'une personne.	à l'écrit			
	à l'oral			
Je peux parler de mes centres d'intérêts.	à l'écrit			
	à l'oral			
Je peux parler des centres d'intérêts de quelqu'un.	à l'écrit			
	à l'oral			
Je peux demander des informations à quelqu'un.	à l'écrit			
	à l'oral			
Je peux parler de mes activités de loisirs.	à l'écrit			
	à l'oral			
Je peux parler des activités de loisirs de quelqu'un.	à l'écrit			
	à l'oral			
Je peux utiliser les pronoms toniques et les pronoms sujets.				
Je peux reconnaître si un mot est masculin ou féminin.				
Je peux faire la différence entre le singulier et le pluriel.				
Je peux utiliser les articles définis, indéfinis et contractés.				
Je peux utiliser les adjectifs possessifs.				
Je peux reconnaître et prononcer les sons [s] et [z].				
Je peux reconnaître et prononcer les sons [œ̃], [ɔ̃] et [ɑ̃].				
Je peux reconnaître et prononcer les liaisons.				
Je peux parler des activités préférées des jeunes français.	à l'écrit			
	à l'oral			
Je peux parler des habitudes des adolescents sur Internet.	à l'écrit			
	à l'oral			

Mon coin du monde

Décrire un lieu

Dire quels types de commerces il y a

Décrire ses lieux préférés : ce qu'on fait, où on sort avec ses amis

Compréhension

 À l'oral

1 Écoutez la conversation et répondez aux questions.

ⓐ Nina habite...
1. rue des Abeilles.
2. boulevard des Peupliers.
3. rue de Namur.

ⓑ Tracez le chemin que Nina doit faire pour aller au cinéma. Indiquez d'une croix où se trouve le cinéma.

ⓓ Arrivée chez elle, Nina veut...
1. écrire l'itinéraire.
2. chercher le chemin sur Internet.
3. regarder sur un plan du quartier.

2 Écoutez ce message et trouvez sur le plan à quoi correspond chaque lettre : la boulangerie, le centre commercial, le cinéma, l'auto-école et la librairie.

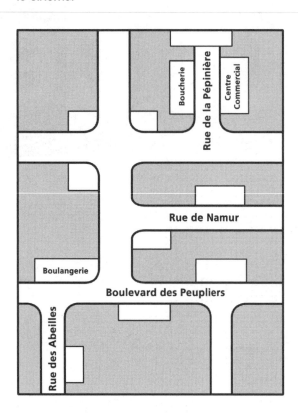

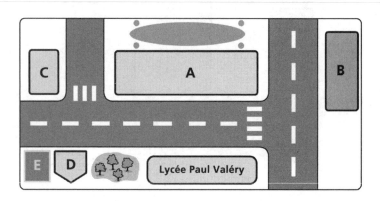

A : ....

B : ....

C : ....

D : ....

E : ....

ⓒ Qu'est-ce qu'il y a avant le cinéma ?

☐ 1

☐ 2

☐ 3

À l'écrit

1 Lisez ce courriel et répondez aux questions.

a Où Marion doit-elle retrouver Laura samedi ?

....

....

b Quelle première activité Laura propose-t-elle de faire après le chocolat chaud en terrasse ?

Objet : RDV Samedi

Arial | 10

Salut Marion !
Alors, on fait quoi samedi ? Voici le programme que je te propose :
Rendez-vous à 10h30 devant le Hard Rock Café. On boit un bon chocolat chaud en terrasse et après on va faire les boutiques ! On peut aller au Citadium, c'est un magasin où il y a des vêtements de mes marques préférées. À midi, on peut aller déjeuner dans le Parc au Trocadéro ? Il y a Alex qui fait skateboard, on peut aller lui dire bonjour. Après, il y a une exposition que je veux voir juste à côté, au musée de la Mode. À 16h30, on peut aller au cinéma voir un film. Que penses-tu de ce programme ?
Ce soir, je dois rentrer chez moi vers 19h parce que je vais au restaurant avec mes parents. Alors, écris-moi un mail pour me dire si tu es d'accord. Tu peux proposer autre chose si tu veux !
Bises, Laura

☐ 1

☐ 2

☐ 3

c Qu'est-ce que Laura propose de faire à midi ?

....

d Quelle activité Alex pratique-t-il ?

....

e Qu'est-ce que Laura veut voir près du Trocadéro ?
1. Un film   **2.** Une boutique   **3.** Une exposition

f Quelle dernière chose Laura propose-t-elle de faire ?

....

g Que fait Laura ce soir ?
1. Elle va au cinéma.   **2.** Elle reste chez elle.
3. Elle dîne au restaurant.

h Que doit faire Marion pour dire si elle est d'accord ?

....

2 Voici 5 adresses de sorties. Lisez les textes et complétez le tableau.

A. Café du Musée de la vie romantique
16, rue Chaptal
75009 Paris

Venez boire un verre en terrasse, au cœur d'un petit jardin, près du Musée de la vie romantique...

B. Sempé, *Un peu de Paris et d'ailleurs*
5, rue de Lobau
75004 Paris

Venez visiter cette exposition gratuite à l'Hôtel de Ville. Vous allez voir Paris, ses quartiers, ses rues, ses places d'une autre façon...

C. Hard Rock Café
14, boulevard Montmartre
75002 Paris

Situé au cœur de la capitale, ce bar-restaurant est un vrai musée du rock'n'roll. Venez tous les mercredis soirs dès 21h pour assister à des concerts acoustiques impressionnants !

D. Les jardins du Trocadéro
Place du Trocadéro
75016 Paris

Envie d'un moment agréable ? Alors, relaxez-vous dans les jardins du Trocadéro. Une belle promenade vous attend avec une vue magnifique sur la Tour Eiffel.

E. Le Citadium
56 Rue Caumartin
75009 Paris

Super magasin au centre de Paris avec des marques à la mode, c'est ici qu'il faut aller pour faire son shopping ! Les vendeurs sont super sympa et la musique est géniale.

Ils vont aller où ?		A, B, C, D, E ?
1.	Alice veut voir une exposition.	
2.	Quentin veut aller à un concert.	
3.	Marie préfère se promener.	
4.	Paul veut passer un moment en terrasse.	
5.	Manon veut acheter des vêtements.	

Vocabulaire

1 ✳ **Retrouvez les 10 commerces suivants dans la grille.**

BOUCHERIE – BOULANGERIE – CINÉMA DISCOTHÈQUE – LIBRAIRIE – PHARMACIE POISSONNERIE – POSTE – RESTAURANT SUPERMARCHÉ

A	L	U	T	O	P	H	X	M	T	F	E
S	I	P	E	R	H	I	E	U	Y	I	R
U	B	O	U	L	A	N	G	E	R	I	E
P	R	I	S	B	R	E	C	R	O	L	S
E	A	S	O	U	M	D	E	L	L	B	T
R	I	S	E	V	A	H	R	T	A	Z	A
M	R	O	U	T	C	I	N	E	M	A	U
A	I	N	S	U	I	U	T	T	E	G	R
R	E	N	S	T	E	S	U	R	A	T	A
C	G	E	X	I	O	H	N	H	Y	O	N
H	X	R	N	P	M	R	T	A	E	P	T
E	D	I	S	C	O	T	H	E	Q	U	E
D	W	E	B	O	U	C	H	E	R	I	E

2 ✳ **Observez le dessin et utilisez les prépositions de lieu correspondantes.**

à droite – à gauche – tout droit

a La voiture va aller ....

b Le bus va aller ....

c Le vélo va aller ....

3 ✳✳ **Complétez le texte d'après le trajet tracé sur le plan. Utilisez :**

- les verbes : tourner, continuer, traverser ;
- les indications de lieu : droite, gauche, devant, en face, première rue ;
- les commerces : l'auto-école, parc, librairie, café.

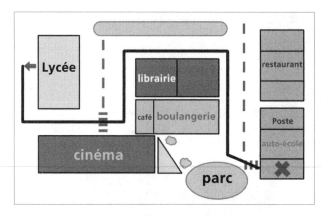

Pour venir chez moi, à partir du lycée, tu vas sur ta ....

.... Tu .... dans la .... à gauche.

Tu .... tout droit et tu...................... la rue.

Tu arrives en face du ....

Tu vas encore à gauche vers la .... Après la

librairie, tu tournes deux fois à .... Tu marches

tout droit, tu vas passer .... la boulangerie.

Tu arrives .... du parc. Tu traverses la rue, ma

maison est à droite de ...., près du ....

....

4 ✳✳ **Complétez les phrases avec les mots suivants :**

quartier– magnifique – terrasse – animé – place – me promener – faire les magasins – exposition

a J'aime bien mon ...., il y a toujours du monde, il est très ....

b L' .... de ce musée est ....
....

c Tu peux aller au Trocadéro, c'est une grande ....
....

d On va au Café du Musée boire un verre sur la ....
....

e Je veux bien .... dans un parc, mais après je vais .... pour acheter quelques vêtements.

Ph**o**nétique

1 ✳ **Indiquez d'une croix (X) si vous entendez le son [ə] comme dans « le », le son [e] comme dans « les » ou le son [Ɛ] comme dans « lait ».**

	[ə] « le »	[e] « les »	[Ɛ] « lait »
1.			
2.			
3.			
4.			
5.			
6.			
7.			
8.			
9.			
10.			

2 ✳ **Indiquez d'une croix (X) si vous entendez le son [ə] comme dans « le » dans le premier ou dans le deuxième mot.**

	Premier mot	Deuxième mot
Ex.	X (Je)	
1.		
2.		
3.		
4.		
5.		
6.		
7.		
8.		

3 ✳✳ **Écoutez les phrases et soulignez en vert le son [ə], en rouge le son [e], en bleu le son [Ɛ] et en noir le son [ə]. Barrez les consonnes et les voyelles qui ne se prononcent pas.**

1. Demain, rendez-vous au Trocadéro pour une journée promenade dans Paris !

2. J'adore ce café, la décoration est géniale et il y a une bonne ambiance.

3. Tu peux venir au restaurant demain midi ? Alex est avec son frère.

4. Tu tournes dans la première rue à gauche après le boulevard des Peupliers.

4 ✳✳ **Écoutez et remplacez les blancs par les mots correspondants.**

1. Je suis nouveau dans le .... Pour .... rue de Namur, je dois

.... à droite ?

2. Samedi .... midi, on va au .... Tu ....

venir avec ton ....

3. Ce .... est vraiment super ! j'.. la musique de ....

.... groupe de .... !

4. Je te .... de visiter ce .... , les .... sont

toujours .... !

Grammaire

Le présent de « pouvoir »

1 ✴ **Reliez la bonne conjugaison au bon sujet.**

a. Les jeunes •

b. Ses amies •   • peux

c. Vous •   • peut

d. Ludo •   • pouvons

e. On •   • pouvez

f. Nous •   • peuvent

g. Vos amis •

2 ✴✴ **Complétez ce texte en conjuguant le verbe pouvoir au présent de l'indicatif.**

- Salut, tu .... venir ce soir au cinéma ?

- Je ne sais pas encore. Je dois demander à mes parents. Je .... te donner une réponse cet après-midi ?

- Oui, bien sûr ! Elsa, ne .... pas, c'est dommage.

- Et samedi, on .... se voir pour l'exposé de lundi ?

- Ah, oui, c'est vrai. Oui, et nous .... aller à la bibliothèque, qu'en penses-tu ? Elsa vient aussi je crois.

- Je préfère rester chez moi. Vous .... venir à la maison ? Mes parents .... venir vous chercher en voiture si vous voulez.

- D'accord !

Le passé composé avec l'auxiliaire « avoir »

3 ✴ **Reliez le verbe à son participe passé (en *é*, *i* ou *u*) puis écrivez-le, comme dans l'exemple.**

a	Visiter		....
b	Rencontrer		....
c	Voir		....
d	Boire		....
e	Apercevoir	**é**	....
f	Connaître	**i**	....
g	Déjeuner	**u**	....
h	Prendre		aperçu
i	Finir		....
j	Commencer		....
k	Attendre		....

4 ✳✳ **Complétez le journal intime de Laura en écrivant le participe passé des verbes entre parenthèses.**

J'ai (rencontrer) ....
Stéphane samedi. Il a (changer)
.... de scooter. Il a (acheter)
.... un scooter plus
gros en noir et gris, il est beau.
Il l'a (prendre) .... pour
aller en centre-ville et on a (boire)
.... un café en terrasse.
On a (attendre) ....
Léa, elle est (arriver) .... avec
son chien ! Alors, après, nous avons
(marcher) .... un
peu dans le parc. Dans la soirée, on a
(décider) .... d'aller au
cinéma. C'était une belle journée !

5 ✳✳ **Voici un texte au présent, transformez-le au passé composé.**

Ce week-end je **vois** Sébastien. Nous **déjeunons** ensemble et après on **retrouve** Paul devant le lycée. Ensuite Paul et Sébastien **boivent** un verre au café et **parlent** de la fête d'anniversaire de Laura. Pendant ce temps, j'**achète** le cadeau de Laura. Vers 15 heures, je **prends** le bus pour revenir au café. Je vois Sébastien et Paul sur la terrasse du café. Je **montre** aux garçons le cadeau de Laura. Ils **trouvent** le cadeau très beau et original.

....
....
....
....
....
....
....
....
....
....
....
....
....

Les adjectifs démonstratifs : *ce, cet, cette, ces*

6 ✳ **Reliez les mots suivants à l'adjectif démonstratif qui convient.**

a. Des jeunes •
b. Un pantalon •
c. Une journée •   • ce
d. Un arbre •   • cet
e. Une heure •   • cette
f. Une adresse •   • ces
g. Un concert •
h. L'hiver •

7 ✳✳ **Complétez ce courriel de Marco.**

| ☰▼ | De : [   ] | Signature : [Aucune ▼] |

Salut,
Je t'écris pour savoir si tu es disponible .... soir. Le prof d'histoire-géo est absent .... après-midi, donc on sort plus tôt aujourd'hui. Je vais faire mes devoirs en rentrant et après on peut aller au cinéma ? J'aimerais bien voir le film *The Artist* de Michel Hazanavicius, tu connais .... réalisateur français ? C'est avec Jean Dujardin et Bérénice Béjo, j'adore .... acteurs ! .... fois, je préfère que tu me téléphones pour me donner ta réponse.
Merci, à plus !
Marco

Oral

 Écouter

 1 **Écoutez ce que dit Léa et répondez aux questions.**

ⓐ Qu'est-ce que Léa aime faire avec ses amis ?

....

ⓑ Où Léa achète-elle ses vêtements ? (deux réponses)

1. ....

2. ....

ⓒ Qu'est-ce que Léa fait avant d'acheter des vêtements sur Internet ?

....

ⓓ Pourquoi, Léa est-elle contente quand elle achète sur Internet ? (deux réponses)

1. ....

2. ....

ⓔ Que fait le frère de Léa sur Internet ?

....

ⓕ Qu'est-ce que Léa et son frère conseillent à leurs parents de faire sur Internet ?

....

ⓖ Qu'est-ce que les parents de Léa utilisent pour payer en ligne ?

....

ⓗ Comment Léa paye ses achats en ligne ?

☐ Elle utilise une carte prépayée.

☐ Elle prend la carte bancaire de ses parents.

☐ Elle donne son argent de poche à ses parents.

2 **Écoutez une deuxième fois ce que dit Léa et complétez le texte avec les mots que vous entendez.**

J'adore .... avec mes amis, mais j'aime aussi acheter mes vêtements ....

.... Je vais d'abord en .... et après je cherche la même chose

sur Internet. Je suis contente parce que je fais souvent de ....et je trouve toujours des

.... qui n'existent pas en France ! Mon frère aussi utilise Internet. Il ....

.... ses jeux vidéo préférés. On conseille à nos parents d'aller sur Internet pour .... les

.... par ce qu'ils peuvent acheter moins cher que dans les magasins. Pour payer en ligne,

nos parents utilisent leur .... Mais nous, pour acheter sur Internet, on a une ....

.... Nos parents nous mettent de .... dessus.

Maintenant, vérifiez que vous avez bien répondu aux questions de l'activité 1 !

 **Parler**

1 Répondez aux questions suivantes à l'oral.

ⓐ Quel moyen de transport vous utilisez pour...

1. venir au lycée ?

2. aller au cinéma ?

3. faire du shopping ?

ⓑ Quel trajet faites-vous pour aller du lycée...

1. à la boulangerie ?

2. au café ?

3. à l'arrêt de bus ?

2 Le jeu des différences.

Décrivez oralement les deux dessins (il y a, à droite, à gauche, devant,...) et dites les différences que vous voyez.

3 Présentez oralement votre site d'achat en ligne préféré.

ⓐ Donnez son nom et son adresse électronique.

ⓑ Expliquez ce que vous achetez sur ce site.

ⓒ Expliquez pourquoi vous aimez ce site.

ⓓ Expliquez comment vous achetez sur ce site (par carte bancaire, prépayée...).

4 Présentez oralement votre magasin/votre boutique préféré(e).

ⓐ Donnez son nom.

ⓑ Expliquez où c'est.

ⓒ Expliquez ce que vous achetez dans ce magasin/cette boutique.

ⓓ Expliquez pourquoi vous aimez aller dans ce magasin/cette boutique.

ⓔ Dites avec qui vous aimez aller dans ce magasin/cette boutique et pourquoi.

Écrit

 Lire

1 Lisez ce courriel et répondez aux questions.

Objet :	Cet été !
De :	
	Signature : Aucune

Salut Fred !

Alors tu viens passer l'été chez nous ? Génial ! Tu vas voir, la maison est grande. Bon, en ce moment ma chambre est un peu en désordre, mais je vais la ranger pour ton arrivée ! Tu vas dormir dans la chambre d'amis. C'est génial parce qu'il y a une petite salle de bains juste à côté pour toi ! Si tu as besoin d'envoyer des mails ou d'aller sur Internet j'ai un ordi dans ma chambre donc, pas de problème ! Au fait, est-ce que tu aimes regarder des films ? Mes parents ont acheté une télé la semaine dernière. Elle est énorme ! C'est super pour regarder des films en 3D ! Donc, si tu veux, on pourra regarder des films dans le salon, on sera très bien installés, le canapé est très confortable ! Je sais que tu adores préparer de bons petits plats, je suis sûr que tu vas adorer notre cuisine !

Allez, à cet été !

Julie

(a) Comment est la maison de Julie ?

....

(b) Au moment où Julie écrit le mail, comment est sa chambre ?

....

(c) Qu'est-ce qu'il y a près de la chambre d'amis ?

....

(d) Dans quelle pièce se trouve l'ordinateur de Julie ?

....

(e) Qu'est-ce que les parents de Julie ont acheté ?

....

(f) Dans quelle pièce Julie propose-t-elle de regarder des films en 3D ?

....

(g) D'après Julie, comment est le canapé du salon ?

....

(h) Fred va apprécier quelle pièce de la maison ? Pourquoi ?

....

....

2 Voici 3 descriptions de maison. Lisez les textes et complétez le tableau.

Maison A

2 chambres, salon, cuisine, salle de bains (baignoire). Pas de jardin mais une place pour la voiture devant la maison. La maison n'est pas très grande mais elle est agréable et très claire.

Maison B

3 chambres, grand salon, petite cuisine. Petit jardin. La maison est confortable et située dans une rue très calme, près des commerces.

Maison C

Une chambre avec salle de bains (douche). Le salon est petit mais au moins 6 personnes peuvent manger dans la cuisine. La maison est près de la station des bus et de la gare. Les commerces sont à 20 minutes en voiture.

Ils vont choisir quelle maison ?		A, B, C ?
1.	Alice veut une maison avec un jardin	
2.	Quentin aime les grandes cuisines.	
3.	Marie prend le train tous les matins.	
4.	Les parents de Paul font les courses à pied.	
5.	Manon n'aime pas le bruit.	
6.	Zoé veut pouvoir prendre des bains.	

 **Écrire**

1 **Un(e) ami(e) vient passer quelques jours chez vous pour la première fois. Vous lui écrivez un courriel pour décrire votre maison.** Aidez-vous du courriel de Julie page 34.

		Nouveau message		
Envoyer	Discussion Joindre Adresses Polices Couleurs Enr. brouillon		Navigateur de photos	Afficher les modèles

À :
Objet :
De :   Signature : Aucune

2 **Vous lisez ce message sur votre forum de discussion préféré :**

> *Posté par Léa à 18.15*
>
> Salut, je m'appelle Léa, j'ai 16 ans. Je viens d'arriver et j'aimerais bien connaître un peu mieux la ville. Est-ce que quelqu'un pourrait me dire ce qu'on doit voir ici, ce qu'on peut faire, les endroits sympas etc. ? Merci !

Vous répondez à Léa :

(a) Vous décrivez votre quartier (commerces, musées, café...)

(b) Vous proposez des idées de sorties et vous dites pourquoi ce serait une bonne idée.

(c) Vous dites les activités qu'elle peut faire la semaine et le week-end.

(d) Vous lui dites quels moyens de transports elle peut utiliser pour se déplacer dans la ville.

Posté par :

Qu i z civi

1 ⋆ Regardez les images.

Est-ce à Paris, à Bruxelles ou à Montréal ?

Écrivez la légende sous chaque image : L'*Atomium*, le *fleuve Saint-Laurent*, la *Grand Place de Bruxelles*, la *cathédrale Notre-Dame*.

a. ....

b. ....

c. ....

d. ....

2 ⋆ ⋆ Répondez aux questions.

ⓐ Paris est une ville où il a beaucoup de...

   ☐ places.   ☐ musées.   ☐ cathédrales.

ⓑ Quel fleuve est parisien ?

   ☐ La Seine   ☐ Le Saint-Laurent

ⓒ Que sont les Halles de Paris ? ....

ⓓ À Paris, quel moyen de transport est-il conseillé de prendre ? ....

ⓔ Reliez un métier au nom d'un Belge célèbre.

   a. Interprète de la chanson *Ne me quitte pas.* •   • **1.** René Magritte.

   b. Peintre surréaliste qui a son musée sur la Place Royale de Bruxelles. •   • **2.** Victor Horta.

   c. Architecte qui a notamment construit le palais des beaux-arts de Bruxelles. •   • **3.** Jacques Brel.

   d. Dessinateur, auteur de la célèbre BD *Les aventures de Tintin.* •   • **4.** Hergé.

ⓕ Qu'est-ce que le Meyboom à Bruxelles ?

   ☐ Un musée   ☐ Une spécialité culinaire   ☐ Une fête traditionnelle

ⓖ Sur quel fleuve la ville de Montréal est-elle située ? ....

ⓗ À Montréal, quelles activités peut-on faire en hiver ? ....

ⓘ Que trouve-t-on dans la ville souterraine de Montréal ? ....

ⓙ Où se trouve le petit quartier de la vieille ville ? ....

Apprendre à apprendre

Comment apprendre le lexique ?

En français, il est important d'apprendre l'orthographe et la prononciation d'un mot.
Plusieurs méthodes sont possibles, en voici une. N'hésitez pas à expliquer à vos amis la vôtre !

> VISUALISATION ET TRADUCTION

1. **Repérez les mots nouveaux (les souligner, les surligner...).**

2. **Dans votre cahier, réservez une partie pour le lexique et faites un tableau :**

Le nouveau mot français	Photo ou image qui le représente	Traduction dans ma langue
Ex. : un carrefour		....

3. **Regardez comment le mot est écrit dans votre langue et en français : est-ce que qu'ils se ressemblent ? N'oubliez pas d'écrire le mot avec son article : des mots français masculins peuvent être au féminin dans votre langue et vice-versa !**

4. **L'image va vous aider à mémoriser la signification du nouveau mot ! Vous pouvez aussi associer ce nouveau mot à d'autres mots que vous connaissez déjà (parce qu'ils expriment la même chose ou appartiennent à la même catégorie...).**

5. **Répétez à haute voix ce mot plusieurs fois avant de l'écrire sur une feuille (ou faites l'inverse).**

6. **Vous avez 10 mots nouveaux : cachez la colonne du mot écrit en français. Lisez le mot dans votre langue maternelle et écrivez sa traduction en français en prononçant le mot à haute voix. Vous pouvez aussi le faire dans l'autre sens !**

Il faut faire ce travail un peu tous les jours.
Vous ne pouvez pas apprendre tout d'un seul coup !

À deux, on apprend mieux !

Votre ami vous dit le mot dans votre langue
maternelle et vous le dites et l'écrivez en français
(ou le contraire). Puis vous échangez les rôles.

Portfolio

✱ Qu'avez-vous appris dans cette unité ?

Remplissez le tableau. Lorsque vous cochez 😐 ou ☹ révisez les pages concernées.

		☺	😐	☹
Je connais le nom des commerces/magasins.	à l'écrit			
	à l'oral			
Je peux décrire un lieu.	à l'écrit			
	à l'oral			
Je connais les verbes pour expliquer un trajet.	à l'écrit			
	à l'oral			
Je peux expliquer un chemin.	à l'écrit			
	à l'oral			
Je peux demander mon chemin dans la rue.				
Je peux parler des activités que j'aime faire.	à l'écrit			
	à l'oral			
Je peux proposer des idées de sorties.	à l'écrit			
	à l'oral			
Je connais les verbes d'achats.	à l'écrit			
	à l'oral			
Je sais dire comment on achète.	à l'écrit			
	à l'oral			
Je sais décrire les pièces de maisons.	à l'écrit			
	à l'oral			
Je peux conjuguer le verbe « pouvoir » au présent de l'indicatif.	à l'écrit			
	à l'oral			
Je peux utiliser le passé composé et l'auxiliaire avoir.	à l'écrit			
	à l'oral			
Je connais le participe passé des verbes en « u ».	à l'écrit			
	à l'oral			
Je connais le participe passé des verbes en « i » / « it » / « is ».	à l'écrit			
	à l'oral			
Je connais le participe passé des verbes « faire », « être » et « avoir ».	à l'écrit			
	à l'oral			
Je sais utiliser les démonstratifs « ce », « cet », « cette » et « ces ».	à l'écrit			
	à l'oral			
Je peux reconnaître et prononcer les sons [ə]/[e]/[ɛ] comme dans « le »/ « les »/ « lait » et le son [ɔ] comme dans « corps ».	à l'écrit			
	à l'oral			
Je peux parler des villes francophones Paris, Montréal et Bruxelles.				

Alors, on sort ?

Inviter quelqu'un à faire quelque chose

Accepter ou refuser une invitation

Donner des instructions

À l'oral

 1 **Écoutez les 3 messages et cochez la bonne réponse.**

L'invitation est acceptée ou refusée ?

Message 1	Message 2	Message 3
		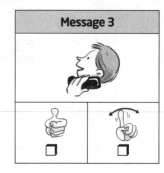
👍 ☐	👎 ☐	👍 ☐ 👎 ☐	👍 ☐ 👎 ☐

 2 **Écoutez les trois messages sur votre répondeur. Associez l'image au message et répondez aux questions.**

	Message n°...........	Message n°...........	Message n°...........
Où la personne est-elle invitée ?			
Quel jour ?			
À quelle heure ?			

 3 **Écoutez les réponses à ces invitations. Associez la réponse à l'image et cochez la bonne réponse dans le tableau.**

	Réponse n°...........	Réponse n°...........	Réponse n°...........
L'ami accepte.			
L'ami(e) refuse.			

À l'écrit

1 **Observez l'invitation Adobook et lisez la conversation entre Stéphane et Bruno.**

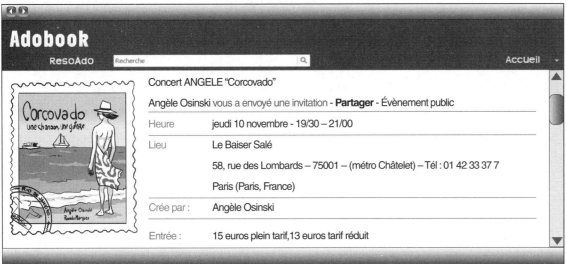

Adobook

ResoAdo   Recherche 🔍   Accueil

Concert ANGELE "Corcovado"

Angèle Osinski vous a envoyé une invitation - **Partager** - Évènement public

Heure	jeudi 10 novembre - 19/30 – 21/00
Lieu	Le Baiser Salé
	58, rue des Lombards – 75001 – (métro Châtelet) – Tél : 01 42 33 37 7
	Paris (Paris, France)
Crée par :	Angèle Osinski
Entrée :	15 euros plein tarif,13 euros tarif réduit

Salut Bruno ! Tu as reçu l'invitation d'Angèle Osinski pour son concert au Baiser salé ?

Non, je ne crois pas.

Mais si ! Sur Adobook, tu as répondu « peut-être ». Tu veux toujours venir ?

Je ne sais pas. C'est quand ?

C'est demain soir à 19h30. Viens avec moi. Je prends deux places ? On se retrouve là-bas ?

Ok, d'accord. Prends deux places. Mais c'est où ?

Au Baiser salé à Châtelet, rue des Lombards.

C'est à droite ou à gauche quand je sors du métro Rambuteau ?

Alors, tu sors du métro et tu vas à gauche. Tu continues tout droit jusqu'à la rue Rambuteau. Là, tu tournes à droite. Tu continues tout droit et à la quatrième rue, tu tournes à gauche rue saint Denis. Tu continues toujours tout droit et quand tu es en face d'une boulangerie, tu tournes à droite. Tu marches encore 5-6 mètres et tu es arrivé. Tu as tout noté ?

Oui merci :) Je copie l'itinéraire dans mon téléphone ! Et si je ne trouve pas, je t'appelle ! À demain.

À demain Stéphane !

---

2 **Répondez aux questions.**

(a) C'est une invitation pour :

☐ un voyage   ☐ un concert   ☐ une balade

(b) Qui a envoyé l'invitation sur Adobook ?

☐ Stéphane   ☐ Bruno   ☐ Angèle Osinski

(c) À quelle heure commence la soirée ? ....

(d) Où a lieu la soirée ? ....

(e) Combien coûte la soirée ? ....

3 **Lisez à nouveau le texte et observez le plan, puis cochez la bonne réponse.**

Bruno propose à Stéphane :

☐ l'itinéraire 1   ☐ l'itinéraire 2   ☐ l'itinéraire 3

Vocabulaire

1 ⚹ **Observez cette image et complétez les phrases avec :**

au bout - à côté - au-dessus - à gauche - au milieu - devant - sous - sur

a) L'armoire se trouve .... de la porte en entrant.

b) Le lit est .... de la chambre.

c) Les trois tapis rouges sont .... le lit.

d) Il y a une affiche .... du lit.

e) Le sac se trouve .... le bureau.

f) Le réveil est .... de la table de nuit.

g) Les chaussures sont .... du lit.

2 ⚹ ⚹ **Observez le plan. Complétez le courriel de Jean avec les mots suivants :**

à droite (x2) - traverses - à gauche (x2) - tournes (x2) - tout droit (x2)

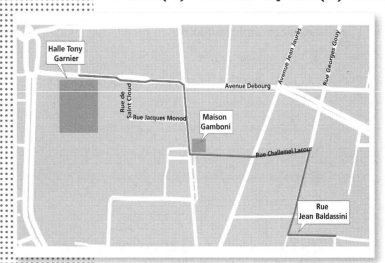

≡▾ De : [   ]   Signature : [Aucune ▾]

Salut Gaëlle,
Ça y est. Le concert, c'est ce soir ! C'est moi qui ai les billets. On se retrouve devant la salle de concert, la Halle Tony Garnier ? Elle se trouve place du Docteur Mérieux. Quand tu pars de chez toi, rue Jean Badassini, tu vas

.... jusqu'à la rue Georges Gouy. À cette rue,

tu .... Ensuite,

tu continues et tu ....

rue Challemel Lacour. Tu continues ....

et tu tournes .... après le restaurant « Maison

Gamboni ». Tu vas jusqu'à l'avenue Debourg, tu tournes ....

.... Tu .... la rue de Saint Cloud et c'est juste après. À tout à l'heure :) Bises
Jean

3 ⚹ **Complétez le courriel avec les mots suivants :**

anniversaire - appelle - belle - désolée - invitation - oncle - passer - semaine

À : Olivier@ami.com
Objet : RE : Invitation anniversaire
≡▾ De : [   ]   Signature : [Aucune ▾]

Salut Olivier,

Je te remercie pour ton .... Malheureusement, je ne peux pas venir. Je suis

déjà invitée par mon .... C'est aussi son ....

Il a 40 ans.

Je suis .... de manquer ta fête et j'espère que vous allez

une très .... soirée.

Et on peut aller au cinéma un soir de la .... prochaine ?

Je t'embrasse. ....-moi.

Katia

Ph*o*nétique

1 ✱ **Écoutez les 6 mots suivants.**
Cochez le mot que vous entendez.

1.	❑	chou	❑	goût
2.	❑	chant	❑	gants
3.	❑	char	❑	gare
4.	❑	manche	❑	mangue
5.	❑	tache	❑	tag
6.	❑	poche	❑	bogue

2 ✱ **Écoutez les 6 paires de mots**
suivants. Cochez si elles sont
identiques (=) ou différentes (≠).

	=	≠
1.	❑	❑
2.	❑	❑
3.	❑	❑
4.	❑	❑
5.	❑	❑
6.	❑	❑

3 ✱✱ **Écoutez les 3 phrases suivantes.**
Cochez si vous entendez 1 fois (1x),
2 fois (2x) ou 3 fois (3x) le son [j].

	1x	2x	3x
1.	❑	❑	❑
2.	❑	❑	❑
3.	❑	❑	❑

4 ✱✱ **Écoutez les 3 phrases**
suivantes. Cochez si vous
entendez 1 fois (1x), 2 fois (2x)
ou 3 fois (3x) le son [ʒ].

	1x	2x	3x
1.	❑	❑	❑
2.	❑	❑	❑
3.	❑	❑	❑

5 ✱ **Écoutez les 6 mots suivants.**
Cochez le son que vous
entendez.

	[z]	[s]
1.	❑	❑
2.	❑	❑
3.	❑	❑
4.	❑	❑
5.	❑	❑
6.	❑	❑

6 ✱✱ **Écrivez 6 mots avec le son [ə] comme « jeu »**
et avec le son [e] comme « pied ».

	[ə]	[e]
1.		
2.		
3.		
4.		
5.		
6.		

7 ✱ **Répétez les questions et les réponses. Faites bien attention à l'intonation.**

1. - Ça va ?
- Ça va.

2. - Est-ce que vous pouvez me passer Nathalie s'il vous
plaît ?
- Bien sûr. Attends une seconde.

3. - Tu es allé au concert de M hier soir ?
- Non. Je suis restée à la maison. Je suis malade.

4. - Est-ce que tu vas à l'étranger pour les vacances ?
- Oui, je vais au Vénézuela.

5. - Où est-ce qu'on se retrouve ce soir avant le concert ?
- Au café, en face de la salle de concert.

Grammaire

✳ L'interrogation

1 ✳✳ **Trouvez les questions à ces réponses. Utilisez l'inversion du sujet.**

ⓐ - ....

  - Non, je ne suis pas américain.

ⓑ - ....

  - Oui, elles travaillent au centre commercial.

ⓒ - ....

  - Non, ils ne sortent pas souvent le soir.

ⓓ - ....

  - Oui, nous allons au concert d'Anaïs.

ⓔ - ....

  - Non, merci. Je n'aime pas le café.

✳ La négation

2 ✳ **Transformez les phrases à la forme négative.**

ⓐ Nous allons au centre-ville cet après-midi.

....

ⓑ Les femmes de sportifs sont toutes très belles.

....

ⓒ Dans la vie, l'important est d'avoir de l'argent.

....

ⓓ Les chambres des filles sont bien rangées.

....

ⓔ Elles habitent à côté d'une très belle place.

....

✳ L'impératif

3 ✳ **Conjuguez les verbes à l'impératif présent.**

	Travailler	Aller	Dormir
(tu)	....	....	Dors !
(nous)	....	Allons !	....
(vous)	Travaillez !	....	....

Le passé composé

4 ✳ ✳ **Lisez la lettre. Soulignez les verbes conjugués au passé composé et entourez la terminaison de chaque participe passé.**

Maman,

Aujourd'hui, Anna <u>est partie</u> de chez moi à dix-huit heures et est arrivée à vingt heures chez sa soeur. Les enfants, eux, sont rentrés à dix-huit heures quinze. Ils n'ont pas vu Anna. Tu es au courant de la bonne nouvelle ?
Sa soeur a eu des jumelles : Alicia et Chloé sont nées la semaine dernière.
Moi, je suis déjà passé les voir plusieurs fois depuis leur naissance.
La première fois, je suis resté avec elles une heure pendant le déjeuner et je suis reparti travailler. La dernière fois, nous y sommes retournés ensemble avec Anna. Les filles ont déjà bien grandi.

Je t'embrasse
À bientôt
Fred

ⓐ Placez dans le tableau toutes les parties du verbe conjugué comme dans l'exemple.

	Sujet	Auxiliaire (être ou avoir)	Participe passé	Genre du sujet	Terminaison
1.	Anna	est (être)	partie	féminin	"ie"
2.					
3.					
4.					
5.					
6.					
7.					
8.					
9.					
10.					
11.					

ⓑ Comment forme-t-on le passé composé ?
Complétez la règle avec les mots suivants :
présent - être - verbe - avoir

PASSÉ COMPOSÉ = Auxiliaire .... ou ....

conjugué au .... + participe passé du ....

ⓒ Entourez la bonne réponse.

Les verbes qui se conjuguent au passé composé avec l'auxiliaire être :

1. accordent leur participe passé au genre du sujet.

2. n'accordent pas leur participe passé au genre du sujet.

5 ✳ **Accordez s'il faut les participes passés des phrases suivantes.**

ⓐ Hier soir, les deux grandes filles de Marc sont .... (aller) voir le dernier film de Tarantino.

ⓑ La semaine dernière, Stéphanie a .... (attendre) deux heures pour acheter un ticket de concert.

ⓒ Ma mère et ma grand-mère ont .... (regarder) la télé toute la soirée.

ⓓ Toutes les filles de la classe sont .... (sortir) les premières pour aller déjeuner.

ⓔ Julie et Caroline sont .... (partir) à la mer pour les dernières vacances d'été.

ⓕ J'ai .... (manger) trois glaces aujourd'hui. Il fait tellement chaud !

Oral

 Écouter

1 ★ **Écoutez le document.**

a Complétez le tableau.

	Que font-ils ?	De quelle heure à quelle heure ?	Avec qui ?
Stéphane			
Carmen			
Lili			

b Et vous ? Que préférez-vous comme sorties ?

....

c Comparez avec votre voisin. Expliquez votre choix.

....

....

2 **Une psychologue anime une émission à la radio. Plusieurs jeunes appellent pour expliquer leur relation avec leurs parents. Écoutez et répondez aux questions.**

a Comment sont les parents d'Adrien ?

....

b Jusqu'à quelle heure Adrien peut-il sortir ?

....

c Que fait la maman d'Adrien le vendredi soir ?

....

d Les parents de Céline l'obligent à :

- ....

- ....

e Est-ce que Céline peut sortir le soir ?

....

f Quels jours de la semaine Simon peut-il sortir ? Jusqu'à quelle heure ?

....

g Les autres soirs de la semaine, que fait-il ?

....

Parler

1 ✳ **Les relations avec mes parents**

À deux, discutez de votre situation. Est-ce que vous pouvez sortir le soir ? Jusqu'à quelle heure en semaine ? le week-end ? Quelle relation avez-vous avec vos parents ?

2 ✳✳ **Invitation acceptée !**

À deux, jouez les trois scènes.

a Vous appelez votre ami(e) pour l'inviter à participer au carnaval de Dunkerque. Il/Elle accepte.

b Vous appelez votre ami(e) pour l'inviter à participer au carnaval. Vous discutez pour trouver une date commune.

c Vous appelez votre ami(e) pour l'inviter à participer au carnaval de Dunkerque. Il/Elle refuse. Vous proposez une autre date. Il/Elle refuse encore. Il/Elle explique pourquoi.

3 ✳✳ **Sorties !**

À deux, jouez les scènes.

Festival de musique « Dire le monde »
le 10 mars - 19h30
Grand Hall Mendes France

Film « L'artiste »
ce soir à 20h15
Cinéma à 3 km de la maison

Spectacle de cirque « Zingaro »
demain à 19h
Cirque à 10 km de la maison

a Observez les 3 sorties proposées. Vous proposez à votre ami(e) la sortie que vous préférez. Il/Elle accepte ou refuse et explique pourquoi.

b Il/Elle accepte la sortie proposée. Donnez rendez-vous à votre ami(e) : heure, lieu, etc.

Écrit

1 Lisez ce document sur la ville d'Aubagne située dans le sud de la France.

VIVRE À AUBAGNE

À tout moment de l'année, vous, jeunes habitants d'Aubagne entre 15 et 25 ans, pouvez demander la carte jeunesse et le chéquier loisirs. Indispensable quand on n'a pas beaucoup d'argent et qu'on veut pouvoir sortir, s'habiller, s'amuser, se faire plaisir...

■ La carte jeunesse

La carte jeunesse vous permet toute l'année d'avoir des petits prix dans différents commerces, c'est le passeport pour payer moins cher à Aubagne (+ de 100 partenaires).

Pour avoir une carte et un chéquier, c'est simple, téléphonez au 04 42 18 19 64 ou venez à la mairie d'Aubagne au 10 avenue Joseph Fallen.

■ Le chéquier loisirs

Avec le chéquier loisirs, pratiquer presque gratuitement des activités culturelles, sportives et de loisirs. Pour l'avoir, il faut habiter Aubagne et avoir sa carte jeunesse.

Composition du chéquier :
- 3 chèques *Cinéma* de 3 €
- 2 chèques *Lecture* de 4 €
- 1 chèque *Spectacle* de 3 €
- 1 chèque pour une entrée *gratuite* aux piscines municipales
- 1 chèque *Sorties* de 3 €
- 1 chèque Activités sportives, culturelles et Loisirs de 8 €
- 1 chèque *Resto* de 6 €
- 1 chèque *Transports* de 8 €
- 1 chèque *Boutiques, Bien être* de 6 €
- 2 chèques *Choix Libre* de 3 €

2 Répondez aux questions.

a) Qui peut demander la carte jeunesse ?
- ☐ Les habitants du sud de la France.
- ☐ Les adolescents habitant Aubagne.
- ☐ Les Français de 15 ans à 25 ans.

b) Quand peut-on demander la carte jeunesse ?
....

c) Que peut-on avoir avec la carte jeunesse ?
- ☐ Des sorties gratuites.
- ☐ Des prix réduits.

d) Cochez toutes les réponses correctes. Pour pouvoir avoir le chéquier loisirs, il faut :
- ☐ Aimer la natation.
- ☐ Avoir entre 15 ans et 25 ans.
- ☐ Avoir une carte jeunesse valide.
- ☐ Être un Aubagnais.
- ☐ Habiter dans le sud de la France.

e) Citez quatre activités que vous pouvez faire avec le chéquier loisirs.

1. ....

2. ....

3. ....

4. ....

f) Comment faire pour avoir une carte jeunesse et un chéquier loisirs ?
....

ou ....

Écrire

1 ✳ **Vous allez à Aquaboulevard avec vos amis. Écrivez un courriel pour les inviter.**

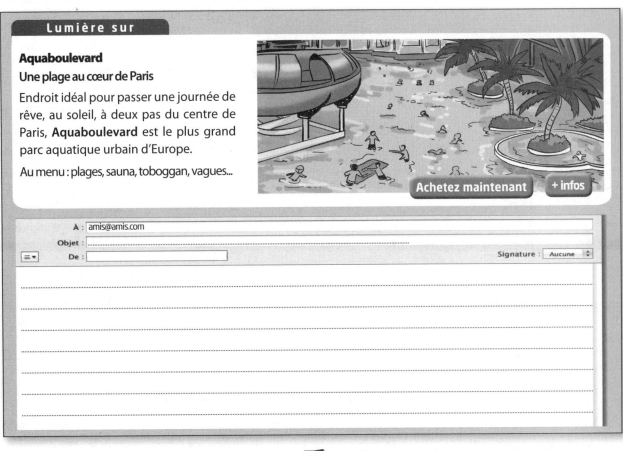

Lumière sur

Aquaboulevard

Une plage au cœur de Paris

Endroit idéal pour passer une journée de rêve, au soleil, à deux pas du centre de Paris, **Aquaboulevard** est le plus grand parc aquatique urbain d'Europe.

Au menu : plages, sauna, toboggan, vagues...

Achetez maintenant   **+ infos**

À : amis@amis.com

Objet : ....

De : ....   Signature : Aucune

2 ✳ **Vous laissez un message sur le forum « Les sorties des ados : dispute avec les parents ? » pour témoigner de votre expérience.**

Bubasa

Bonjour à tous. Moi, je ne peux pas sortir le soir avec mes copains après dîner. Mes parents ne veulent pas. Je dois rentrer avant 20h tous les soirs. C'est comme ça...

3 ✳✳ **Écrivez à un ami francophone pour l'inviter à passer des vacances dans votre ville. Expliquez, dans votre lettre, les activités et les sorties qu'il/elle peut faire.**

1 ✳ Faites des recherches sur Internet et cochez la bonne réponse.

(a) Dans quelle région se situe le site de Kerampuilh, où a lieu le *Festival des Vieilles Charrues* ?

  ❏ En Bretagne
  ❏ En Ile-de-France
  ❏ En Rhône-Alpes

Quel genre musical propose ce festival ?

  ❏ Classique   ❏ Chansons francophones
  ❏ Jazz   ❏ Musiques du monde
  ❏ Pop/rock

(b) Où se situe le *Festival Berlioz*, lieu où est né le compositeur ?

  ❏ La Tour du Pin
  ❏ Grenoble
  ❏ La Côte Saint André

Quel genre musical propose ce festival ?

  ❏ Classique   ❏ Chansons francophones
  ❏ Jazz   ❏ Musiques du monde
  ❏ Pop/rock

(c) Où peut-on assister au *Festival du bout du monde* ?

  ❏ À Belle île
  ❏ En Corse
  ❏ Sur la presqu'île de Crozon

Quel genre musical propose ce festival ?

  ❏ Classique   ❏ Chansons francophones
  ❏ Jazz   ❏ Musiques du monde
  ❏ Pop/rock

(d) Où a lieu le *Festival de Juan-Les-Pins* ?

  ❏ À côté de Montpellier
  ❏ Près de Cannes
  ❏ À Marseille

Quel genre musical propose ce festival ?

  ❏ Classique   ❏ Chansons francophones
  ❏ Jazz   ❏ Musiques du monde
  ❏ Pop/rock

2 ✳ Faites des recherches sur Internet et associez ces festivals à un pays et à un art.

(a) Festival Mostra de Venise •	• Allemagne •	• Films d'animation
(b) Festival de Liège •	• Belgique •	• BD
(c) Festival de Grenade •	• Espagne •	• Cinéma
(d) Festival Fantoche de Baden •	• France •	• Cirque
(e) Festival d'Angoulême •	• Italie •	• Danse

3 ✳✳ Faites des recherches sur Internet et cochez la bonne réponse.

(a) On fête les carnavals au mois de mars pour annoncer le début du printemps.

  ❏ Vrai ❏ Faux

(b) Quand a eu lieu le premier festival de musique ?

  ❏ vi^e siècle avant J.C.
  ❏ iiie siècle avant J.C.
  ❏ vi^e siècle après J.C.

(c) Quel est le festival de musique le plus connu de l'année 1969 ?

  ❏ Glastonbury ❏ Reading ❏ Woodstock

(d) À quelle organisation, Georges Harrison a eu l'idée de donner l'argent de son concert en 1971 ?

  ❏ À l'UNICEF ❏ À l'UNESCO ❏ À la CROIX ROUGE

Stratégies pour apprendre !

Vous n'arrivez toujours pas à mémoriser le vocabulaire ? Voici une nouvelle technique :

▶ **Tout d'abord, choisissez un mot.** Par exemple : « maison ». Écrivez-le au milieu de la feuille.

▶ **Ensuite, connectez des mots qui vous font penser au mot « maison » :**

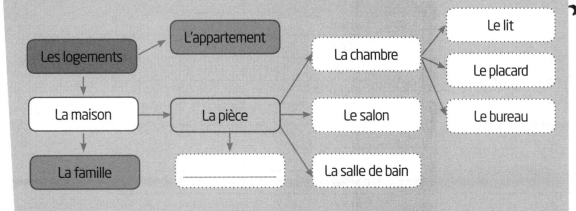

▶ **Pour réviser votre vocabulaire, c'est une bonne manière de mémoriser un ensemble de mots.**

À votre tour !

Choisissez un mot et connectez des mots qui vous font penser à celui-ci.
Voici un modèle de schéma à remplir et à personnaliser :

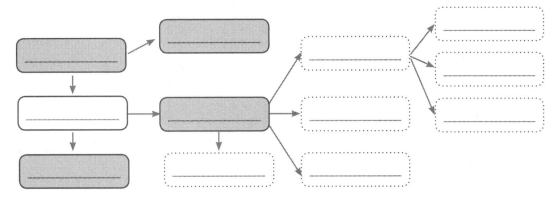

➕ mémo

Comment mieux participer en classe de français ?

- Vous participez aux activités proposées en adoptant **une attitude coopérative** avec l'enseignant et vos camarades.
- Vous **prenez la parole** aussi souvent que possible en acceptant le risque de faire des erreurs.
- Vous **demandez des explications** en cas de difficulté.
- Vous **acceptez d'être corrigé** par vos camarades et de les corriger.

- Vous réfléchissez sur votre apprentissage et vous apprenez à vous **auto-évaluer**.
- Vous profitez de toutes les occasions pour **entrer en contact avec le français** en dehors du cours (journaux, revues, télé, radio, DVD sous-titrés, Internet…) et pour suivre l'actualité française dans les médias locaux.

Qu'avez-vous appris dans cette unité ?

Remplissez le tableau. Lorsque vous cochez ☺ ou ☹ révisez les pages concernées.

		☺	☺	☹
Je peux appeler quelqu'un au téléphone.				
Je peux répondre au téléphone.				
Je peux inviter quelqu'un.	à l'écrit			
	à l'oral			
Je peux inviter quelqu'un à faire quelque chose.	à l'écrit			
	à l'oral			
Je peux donner un rendez-vous à quelqu'un.	à l'écrit			
	à l'oral			
Je peux accepter une invitation/un rendez-vous.	à l'écrit			
	à l'oral			
Je peux refuser une invitation/un rendez-vous.	à l'écrit			
	à l'oral			
Je peux donner des instructions.	à l'écrit			
	à l'oral			
Je peux poser des questions avec « est-ce que ».				
Je peux faire une phrase négative.				
Je peux donner un ordre ou un conseil à l'impératif.				
Je peux dire ce que j'ai fait dans le passé.				
Je peux faire la différence entre le son [e] et [ə].				
Je peux faire la différence entre le son [z] et [s].				
Je peux faire la différence entre le son [y] et [u].				
Je peux faire la différence entre le son [j] et [ʒ].				
Je peux faire la différence entre la graphie « g » et « ch ».				
Je peux prendre la bonne intonation quand je pose une question.				
Je peux parler des festivals de musique et des carnavals européens.				

Génération conso'

Exprimer un vœu, un souhait

Exprimer les comparaisons
(avantages, désavantages)

Parler du shopping et de la mode

Faire des achats dans un magasin

Compréhension

1 Écoutez le dialogue :

- *Pauline* : Salut Manon ! Entre ! Tu peux m'aider à choisir une tenue ? C'est l'anniversaire de Kevin ce soir et je ne sais vraiment pas comment m'habiller. Je viens de regarder mais je n'ai rien !

- *Manon* : Mais si, je suis sûre qu'on va trouver quelque chose !

- *Pauline* : J'ai seulement des vieux vêtements démodés !

- *Manon* : Mais non, regarde cette jupe, elle est très bien.

- *Pauline* : Non, je ne l'aime pas. Elle est trop longue. Et puis elle est trop classique !

- *Manon* : Et ce pantalon, il est joli.

- *Pauline* : Oui, il est bien, mais ce n'est pas assez élégant. Je préfèrerais mettre une robe.

- *Manon* : Cette robe à rayures est super ! Et avec une ceinture,
un petit sac et des bottes, c'est très classe !

- *Pauline* : Oui, c'est vrai, c'est pas mal.

- *Manon* : Vas-y, essaie.

- *Pauline* : Alors, comment tu me trouves ?

- *Manon* : Ça te va très bien, tu es super ! N'oublie pas de prendre ton appareil photo ce soir !

2 Répondez aux questions :

a Manon vient chez Pauline pour :
- ❑ faire des photos de mode.
- ❑ lui acheter des vêtements.
- ❑ l'aider à choisir des vêtements.

b Où va Pauline ce soir ?

....

....

....

c Pauline trouve que ses vêtements sont...
- ❑ branchés.
- ❑ démodés.
- ❑ classiques.

d Pourquoi Pauline n'aime pas la jupe ?

1. ....

2. ....

e Pourquoi le pantalon ne va pas ?

....

....

f Quelle tenue va porter Pauline ?

❑ 1

❑ 2

❑ 3

 **À l'écrit**

Les **looks** des ados

Le look « Gossip girl »

Les gossip girls ont un look classe et aiment les vêtements de marque. Elles portent facilement un sac Chanel ou des lunettes Gucci. On les reconnaît également avec leur jean ajusté et leurs petites chaussures de ville.

Elles aiment : Être classe tout le temps.
Elles détestent : Les vêtements démodés.

Le look « Show off »

Le « Show off » signifie en anglais se montrer. Ils s'habillent avec des vêtements très larges, souvent des tenues de sport, taille XXL, et des accessoires (casque, lecteur MP3…).

Ils aiment : Être à l'aise.
Ils détestent : Les jeans ajustés.

Le look « Emo kid »

Les Emo kids aiment surtout le noir avec un peu de couleur : chaussettes à rayures noir et rouge, ceintures colorées avec des dessins… Sur les accessoires des Emo kids on trouve souvent des héros de dessins animés pour enfants.

Ils aiment : Les rayures.
Ils détestent : Les vêtements de marque.

1 Lisez le document.

2 Répondez aux questions :

a Qui porte des vêtements de sport ?

b Qui aime les vêtements de marque ?

c Qui aime les vêtements peu colorés ?

d Associez les accessoires et les looks.

 a

 b

1 Le look « Gossip girl »

 c

2 Le look « Show off »

 d

3 Le look « Emo kid »

 e

 f

Vocabulaire

1 ✳ Retrouvez les 16 mots suivants dans la grille. Attention, certains mots sont à l'envers.

BRANCHÉ
CHAUSSETTE
COLLANT
COSTUME
DÉMODÉ
ÉCHARPE
EXCENTRIQUE
JUPE
LOOK
LUNETTES
PULL
ROBE
SAC
SHOPPING
STYLE
VÊTEMENT

C	O	L	L	A	N	T	I	N	N	C	Z	Ç	M	J
S	E	D	S	R	K	O	O	L	V	D	J	O	W	Q
G	P	T	E	U	D	E	M	O	D	E	D	Q	E	B
K	E	Z	T	T	C	G	C	K	M	E	P	S	I	B
Z	P	X	T	E	S	A	O	Q	C	B	J	B	A	V
O	R	W	E	H	S	S	I	V	B	Ç	U	D	C	
E	A	U	N	C	Z	S	T	Q	Z	U	Z	U	P	G
T	H	C	U	N	L	P	U	N	H	W	Z	O	P	E
C	C	L	L	A	Y	M	M	A	E	X	C	A	D	M
Q	E	J	S	R	L	G	E	P	H	M	N	Q	U	K
X	H	R	D	B	G	G	R	Z	O	C	E	M	H	M
S	H	O	P	P	I	N	G	Z	E	L	Y	T	S	H
X	H	B	E	U	Q	I	R	T	N	E	C	X	E	L
Z	Z	E	U	L	O	C	T	K	I	Ç	Ç	Z	X	V
N	K	Q	V	L	F	N	C	Q	V	O	M	Y	U	U

2 ✳ Complétez les phrases avec les mots suivants :

classe – montre – bottes – colorés – gilet – défilé de mode

a Quelle heure est-il ? Je ne sais pas, je n'ai pas ma

....

b Hier je suis allé à un .... C'était super, j'ai vu beaucoup de beaux vêtements !

c Il pleut, mets tes .... pour sortir !

d Je vais prendre le t-shirt rouge, orange et bleu pour Ismaël. Il adore les vêtements ....

e Dis donc, il est super ton costume, tu es vraiment .... !

f J'ai froid, donne-moi mon .... s'il te plaît.

3 ✳✳ Quand vous partez en vacances…

a Citez **trois vêtements** que vous emportez.

....
....
....

b Citez **un accessoire** que vous emportez.

....

c Citez **un gadget** que vous emportez.

....

4 ✳✳ Décrivez les dessins suivants.

a — Il porte ....
....
....
....
....

b — Il porte ....
....
....
....
....

Ph*o*nétique

1 ✳✳ **Écoutez et complétez les phrases suivantes avec *an*, *en*, *on* ou *om*.**

1. Ce p.............tal.......... est trop gr.........d.

2. Qu...........d vas-tu au magasin ?

3. C...........bien coûte ce coll.........t ?

4. Il porte toujours des vêtem...........ts bl..........cs.

5. Tu as de l'arg...........t ?

6. Il est super br...........ché !

7. Tu as mis un costume très élég...........t !

8. J'ai acheté m............ pull à L..........dres.

2 ✳ **Écoutez et prononcez les phrases suivantes. Faites bien l'enchaînement.**

1. Je vais demander.
2. Tu vas venir ?
3. Elle va partir.
4. Nous allons payer.
5. Vous allez aider.
6. Ils vont commencer.

3 ✳✳ **Écoutez et prononcez les phrases suivantes. Cochez la bonne réponse.**

		[ply] plu(s)	[plys] plus	[plyz] plus (z)
1.	Son costume est plus élégant.			
2.	Tu ne portes plus de lunettes ?			
3.	Marie a plus de chaussures que moi.			
4.	Ton pantalon n'est plus branché !			
5.	Je suis plus à l'aise dans ce jean.			
6.	Je peux vous montrer plus de modèles.			

Grammaire

Le conditionnel présent

1 ✳ **Soulignez les verbes qui permettent de faire une demande polie.**

a	- Bonjour Madame. Je voudrais ces boucles d'oreilles, s'il vous plaît. - Tu voudrais le collier avec ? - Non, c'est tout, merci.
b	- Bonjour. Mon ami souhaiterait essayer les chaussures bleues dans la vitrine, s'il vous plaît. - Oui, bien sûr, les voilà.
c	- Je peux vous aider ? - Oui, nous aimerions voir ce modèle de téléphone, s'il vous plaît.
d	- Pourriez-vous me donner le prix de ce pantalon, s'il vous plaît ? - Oui, bien sûr. Il coûte 18 €.
e	- Mes parents voudraient que je m'achète des vêtements plus classiques. - C'est normal ! Tu portes toujours des vêtements excentriques !

a À quel temps sont ces verbes ? ....

b Quelles sont les terminaisons de ces verbes ?

Je ➜ ....   Nous ➜ ....
Tu ➜ ....   Vous ➜ ....
Il/elle/on ➜ ....   Ils/elles ➜ ....

c Comment sont-ils formés ? Complétez la règle suivante :

On prend .... du verbe et on ajoute ....

2 ✳ ✳ **Faites des phrases au conditionnel pour exprimer un souhait.**

Ex. : Il – aimer – acheter un nouveau jean ➜ Il aimerait acheter un nouveau jean.

a Elle – souhaiter – faire les magasins ➜ ....

b Nous – avoir besoin – nouveaux costumes ➜ ....

c Fabien et Marie – aimer – aller à un défilé de mode ➜ ....

d Vous – souhaiter – vendre vos vieux vêtements ➜ ....

e Tu – vouloir – un nouveau lecteur MP3 ➜ ....

f Samir – vouloir – un nouvel ordinateur portable ➜ ....

Le futur proche

3 ✳ **Racontez votre journée shopping de demain : remettez les étapes suivantes dans l'ordre et conjuguez les verbes au futur proche.**

Rentrer à la maison.		Je vais ....
Aller au magasin.	1	....
Essayer les vêtements.		....
Payer les vêtements.		....
Choisir des vêtements.		....

Le verbe « plaire »

4 ✳ **Complétez les phrases.**

*Ex : À moi : Le gilet **me plaît**.*

(a) À Émilie : Les boucles d'oreilles ....

(b) À Pierre et Benjamin : Les baskets ....

(c) À vous : Le t-shirt ....

(d) À toi : Le casque..

(e) À moi : La bague...

(f) À nous : Les pulls ....

Les pronoms démonstratifs

5 ✳✳ **À quoi correspond chaque pronom démonstratif du dialogue ? Complétez.**

- *Carole* : Bonjour, je voudrais voir la jupe dans la vitrine s'il vous plaît.
- *Vendeuse* : **Celle-ci** (1) ?
- *Carole* : Non, **celle** (2) en laine.
- *Vendeuse* : Vous avez vu **celles** (3) qui sont dans le magasin aussi ?
- *Carole* : Oui, mais je préfère **celle** (4) de la vitrine.
- *Vendeuse* : Vous voulez essayer un pull avec ?
- *Carole* : Oui, **celui-ci** (5) est joli.
- *Vendeuse* : Et **ceux-là** (6) ?
- *Carole* : Non, je n'aime pas les couleurs.

Ex : (1) : celle-ci = la jupe dans la vitrine

(2) : celle = ...   (4) : celle = ...   (6) : ceux-là = ...

(3) : celles = ...   (5) : celui-ci = ...

L'imparfait de description

6 ✳ **Complétez les phrases en conjuguant le verbe « être » à l'imparfait.**

(a) Je n'ai pas acheté le sac, il .... trop cher.

(b) J'ai essayé cette chemise, elle .... magnifique.

(c) Ces cravates .... vraiment démodées.

(d) Ta tenue de soirée .... très branchée !

(e) Le défilé de mode .... super !

(f) Ils .... très à l'aise dans leurs jeans.

Le comparatif

7 ✳✳ **Faites 3 phrases pour comparer les ordinateurs.**

	Ordinateur 1	Ordinateur 2
Prix	450 €	600 €
Taille de l'écran	15'	17'
Mémoire	500 Go	500 Go

(a) ....

(b) ....

(c) ....

Oral

 Écouter

1 Écoutez le document et complétez les phrases avec les mots manquants.

Les 15-25 ans dépensent en moyenne 620 € par an pour acheter des .... Le produit préféré des jeunes : les .... 96 % des garçons et 76 % des filles préfèrent les .... : Adidas, Nike, Puma, Reebok ou Converse. Le .... est aussi toujours très aimé des adolescents. Les garçons choisissent des .... de sport tandis que les filles préfèrent la quantité à la qualité : elles aiment acheter souvent de nouvelles .... mais elles ne les .... pas très longtemps. Elles dépensent aussi beaucoup d'argent en .... (...., ..., ..., en .... et en bijoux (...., ... Eh oui, on ne compte pas quand on veut .... !

2 Avez-vous compris ? Réécoutez et répondez aux questions.

a Pourquoi les adolescents dépensent 620 € par an ?

....

....

b Quel est le produit préféré des jeunes ?

....

c Qu'est-ce qui plaît à 96% des garçons ?

....

....

d Que préfèrent les filles par rapport aux garçons quand elles achètent des vêtements ?

....

....

e En plus des vêtements, pour quoi les filles dépensent-elles beaucoup d'argent ?

- ....

- ....

- ....

Parler

1 ✳ **Répondez aux questions suivantes à l'oral.**

(a) Quelle tenue vous mettriez pour...
- une fête d'anniversaire ?
- une fête de famille ?

(b) Décrivez le style que vous préfèrez parmi ceux-ci :

classique – cool – excentrique – show off – gossip girl – émo kid

(c) La mode est plus importante pour les filles ou pour les garçons ? Pourquoi ?

2 ✳ ✳ **Préparez une petite présentation orale de votre magasin de vêtements préféré.**

(a) Donnez le nom du magasin.

(b) Dites où il est.

(c) Expliquez ce qu'on trouve dans ce magasin.

(d) Expliquez pourquoi vous aimez ce magasin.

3 ✳ **Le jeu des différences.**

Comparez les deux images à l'oral. Qu'est-ce qui est identique ? Qu'est-ce qui est différent ?

 Lire

1 **Lisez le test.**

Test

Êtes-vous une « victime de la mode » ?

1. Votre vêtement préféré ?
◆ Une chemise rayée.
■ Un jean de marque.
★ Un pantalon de sport large.

2. Pour aller en cours, vous utilisez...
■ Un sac de marque.
◆ Un vieux sac à dos noir.
★ Le sac de ton frère.

3. Les chaussures Converse couleur or, vous aimez ?
■ J'adooore !
★ Jamais !
◆ Oui, mais c'est un peu cher...

4. Uniqlo, c'est...
★ Une marque de stylos suisse.
◆ Une marque de chaussures italienne.
■ Une marque de vêtements japonaise.

5. Vos affaires de piscine, vous les mettez dans un sac...
◆ En plastique du supermarché.
★ De sport.
■ Écologique de American Apparel.

6. H&M, c'est...
★ « Habits et montres ».
◆ Un magasin où tu vas de temps en temps.
■ Hennes et Mauritz, les créateurs suédois.

2 **Anaïs, Dylan et Wendy ont fait le test. Lisez leurs descriptions et trouvez qui a :**

- un maximum de ■ : ....

- un maximum de ★ : ....

- un maximum de ◆ : ....

Anaïs : Vous êtes une victime de la mode, vous parlez seulement de vêtements et d'accessoires : le dernier jean, le sac à la mode... Vous faites souvent les magasins et vous faites très attention à votre look !

Dylan : Ce que vous préférez, c'est qu'on ne vous remarque pas. Vous portez des jeans classiques, des vêtements simples, des baskets. Vous allez faire les magasins de temps en temps, mais vous achetez toujours la même chose ! Un tee-shirt coloré, ça peut aussi être sympa, non ?

Wendy : Le plus important pour vous, ce n'est pas la mode mais être à l'aise ! Vous préférez les vêtements larges, de différentes couleurs ! Vous ne vous intéressez pas aux marques ni aux magazines de mode. Vous n'allez pas souvent faire les magasins !

 **Écrire**

1 ★ **Quel est votre style ? Répondez à l'écrit aux questions du magazine** (voir Livre de l'élève p.61).

ⓐ Définissez votre style : ....

ⓑ Si votre style était un film ? ....

ⓒ Votre accessoire de mode préféré ? ....

ⓓ Décrivez votre tenue : ....

ⓔ Votre gadget préféré ? ....

2 ★★ **Mon téléphone portable et moi !**

Quel utilisateur de téléphone portable êtes-vous ? Écrivez un petit texte à l'aide des questions.

ⓐ Combien d'heures par jour utilisez-vous votre téléphone ?

ⓑ Quel type de téléphone avez-vous (téléphone simple, multifonctions, lecteur MP3, radio...) ?

ⓒ Que faites-vous avec votre téléphone (chat avec des amis ou de la famille, envoi de SMS ou d'e-mails, jeux, photos, etc.) ?

....

....

....

....

3 ★★ **Achats sur Internet**

Avez-vous déjà acheté des articles sur Internet ? Lesquels ? Racontez votre dernière expérience sur votre blog.

➕ Pour vous aider !

- Dites quand c'était.
- Dites ce que vous avez acheté et sur quel site.
- Décrivez l'article (ou les articles).
- Dites combien vous avez payé et comment.

Mon blog

Qu *i* z civi

1 ✱ **Faites des recherches sur Internet et répondez aux questions.**

1. Comment s'appellent les grands magasins qui se trouvent boulevard Haussmann à Paris ?

- ❏ Carrefour et Auchan
- ❏ BHV et Samaritaine
- ❏ Printemps et Galeries Lafayette

2. Qui est la première femme créatrice de mode française ?

- ❏ Sonia Rykiel
- ❏ Coco Chanel
- ❏ Brigitte Bardot

3. Quelle top modèle française, très connue dans les années 2000, fait également des films ?

- ❏ Sigrid Agren
- ❏ Laetitia Casta
- ❏ Inès de La Fressange

4. Quelle marque de vêtements de sport est française ?

- ❏ Puma
- ❏ Le coq sportif
- ❏ Reebok

2 ✱✱ **Les marques de mode suivantes sont-elles françaises ? Sinon, de quel pays sont-elles ? Remplissez le tableau.**

	Marque française ?		
Gucci	❏ Oui	❏ Non	Pays : ....
Chanel	❏ Oui	❏ Non	Pays : ....
H&M	❏ Oui	❏ Non	Pays : ....
Nike	❏ Oui	❏ Non	Pays : ....
Desigual	❏ Oui	❏ Non	Pays : ....
Dior	❏ Oui	❏ Non	Pays : ....
Zara	❏ Oui	❏ Non	Pays : ....
Louis Vuitton	❏ Oui	❏ Non	Pays : ....
Lancel	❏ Oui	❏ Non	Pays : ....
Benetton	❏ Oui	❏ Non	Pays : ....

Connaissez-vous d'autres marques de mode françaises ? Lesquelles ?

....

....

3 ✱✱ **Les proverbes**

Quelle est la signification des proverbes suivants ? Cochez la bonne réponse.

1. Être bien dans ses baskets :

- ❏ Être triste
- ❏ Être à l'aise
- ❏ Avoir de jolies baskets

2. Donner sa chemise :

- ❏ Se déshabiller
- ❏ Être très généreux
- ❏ Changer de chemise

3. Trouver chaussure à son pied :

- ❏ Trouver le/la partenaire qui convient
- ❏ Acheter des chaussures neuves
- ❏ Être sympa

Lire et comprendre un texte en français

Rentrée : cours le matin, sport l'après-midi ?

À la rentrée , le programme « *Cours le matin, sport l'après-midi* » va arriver dans de nouveaux collèges et lycées français. Depuis 2010, ce <u>rythme scolaire</u> existe dans une centaine de collèges, et c'est un <u>succès</u> !

Le programme « Cours le matin, sport l'après-midi » existe dans 125 collèges et lycées français. D'après les directeurs d'école, ce programme fonctionne bien : les élèves <u>se sentent mieux</u>, et l'<u>ambiance</u> dans les cours de récréation est meilleure. C'est pourquoi, dès la <u>rentrée scolaire</u> prochaine, le gouvernement a décidé d'appliquer ce programme dans 125 lycées et collèges <u>supplémentaires</u>. Le principe est simple : les cours ont lieu le matin de 8 h 30 à 13 h 30, et l'après-midi les élèves font des activités sportives. *Ils* ont en moyenne cinq heures de sports supplémentaires par semaine.

Seul problème : l'organisation est parfois difficile, parce que pour faire du sport, il faut des <u>équipements</u> (piscine, gymnase, terrains de sport) et des personnes pour s'occuper des élèves. *Cela* demande de l'argent supplémentaire. Et puis, tout le monde n'est pas sportif... Certains élèves préfèrent avoir cours toute la journée plutôt que de courir sur un terrain de basket.

Et toi, que penses-tu des cours le matin et du sport l'après-midi ?

D'après *Les Clés de l'Actualité*, Bénédicte Boucays, 31 mai 2011.

Voici une démarche qui vous permettra de mieux comprendre un texte en français.

1. Écrivez toutes les informations autour du texte : *titre, date, nom de l'auteur, nom du journal.*

....

....

2. Quel est le type du texte ?

....

....

3. Lisez une première fois le texte. Quel est le thème général du texte ?

....

....

4. Lisez une deuxième fois le texte. Soulignez en bleu les dates et les noms de lieu et soulignez en rouge les mots importants qui sont répétés plusieurs fois.

5. Trouvez quels mots les pronoms en italique remplacent.

– Ils : ....

– Cela : ....

6. Trouvez le sens des mots soulignés, dans votre langue :

– rythme scolaire : ....

– succès : ....

– se sentent mieux : ....

– l'ambiance : ....

– rentrée scolaire : ....

– supplémentaires : ....

– équipements : ....

7. Résumez à l'oral les idées du texte (en français ou dans votre langue).

⊕ mémo

Lire et comprendre un texte en français

1. Regardez toutes les informations autour du texte : le titre, la date, l'auteur (= la personne qui a écrit le texte), le nom du journal ou du site Internet d'où vient le texte.

2. Identifiez le type de texte (recette, publicité, poème, lettre, courriel, article de journal ou de magazine...)

3. Lisez une première fois le texte, sans vous arrêter. Qu'avez-vous compris globalement ? Quel est le thème ?

4. Lisez une deuxième fois le texte. Soulignez d'une couleur les mots qui peuvent vous aider à mieux comprendre le sens général : les noms de personnes, les noms de lieu (aidez-vous des majuscules), les dates. Soulignez d'une autre couleur les mots importants, qui sont répétés plusieurs fois.

5. Trouvez à quelle personne correspondent les pronoms (il, elle, cela, etc.)

6. Essayez de comprendre les mots difficiles à partir du contexte, à l'aide des autres mots et du sens général de la phrase.

7. Résumez avec vos propres mots les différents paragraphes du texte (en français ou dans votre langue).

Portfolio

✱ Qu'avez-vous appris dans cette unité ?

Remplissez le tableau. Lorsque vous cochez 😐 ou ☹ révisez les pages concernées.

		🙂	😐	☹
Je connais le nom des vêtements en français.	à l'écrit			
	à l'oral			
Je connais le nom des accessoires en français.	à l'écrit			
	à l'oral			
Je peux parler de mode.	à l'écrit			
	à l'oral			
Je peux décrire un style.	à l'écrit			
	à l'oral			
Je peux acheter des produits dans un magasin.				
Je peux comparer des produits.	à l'écrit			
	à l'oral			
Je peux exprimer un souhait / un vœu.	à l'écrit			
	à l'oral			
Je peux parler d'une action qui va se passer bientôt.	à l'écrit			
	à l'oral			
Je peux dire ce qui me plaît ou me déplaît dans la mode.	à l'écrit			
	à l'oral			
Je peux dire pourquoi je n'ai pas acheté un produit.	à l'écrit			
	à l'oral			
Je peux utiliser les pronoms démonstratifs.	à l'écrit			
	à l'oral			
Je peux parler de mes dépenses.	à l'écrit			
	à l'oral			
Je peux reconnaître et prononcer les sons [ã] et [õ].				
Je peux faire l'enchaînement verbe + verbe à l'oral.				
Je connais la prononciation de « plus ».				
Je peux parler des publicités.	à l'écrit			
	à l'oral			
Je peux créer une publicité.				

En forme ?

- Décrire ses intérêts
- Donner et recevoir des conseils
- Exprimer son opinion
- Expliquer comment rester en forme
- Décrire ses habitudes

Compréhension

À l'oral

1 Qui fait quoi ? Écoutez ce que disent ces jeunes et dites quel sport elles pratiquent.

Emma Sport pratiqué :	**Julie** Sport pratiqué :	**Noémie** Sport pratiqué :	**Elsa** Sport pratiqué :	**Laura** Sport pratiqué :
Enregistrement n°	Enregistrement n°	Enregistrement n°	Enregistrement n°	Enregistrement n°

2 Écoutez les conseils du médecin et répondez aux questions.

(a) Il faut faire du sport quand...

❏ on est jeune.   ❏ on est adulte.   ❏ on est âgé.

(b) Il faut prendre :

❏ 1 repas par jour.   ❏ 2 repas par jour.   ❏ 3 repas par jour.   ❏ 4 repas par jour.

(c) Quel est le repas le plus important de la journée ?

....

(d) Selon le médecin, de quoi peut-il être composé ?

De pain ?	**De yaourt ?**	**De café ?**	**De chocolat ?**	**De fruits ?**
❏ Oui ❏ Non	❏ Oui ❏ Non	❏ Oui ❏ Non	❏ Oui ❏ Non	❏ Oui ❏ Non
De corn flakes ?	**De poisson ?**	**De légumes ?**	**De pâtes ?**	**De fromage ?**
❏ Oui ❏ Non	❏ Oui ❏ Non	❏ Oui ❏ Non	❏ Oui ❏ Non	❏ Oui ❏ Non

(e) Pouvez-vous citer les 4 sports pas chers proposés par le médecin ?

1. ....   **2.** ....   **3.** ....   **4.** ....

(f) Combien de fois par semaine faut-il faire du sport au minimum ?

❏ 1 fois   ❏ 2 fois   ❏ 3 fois   ❏ 4 fois

3 Dites si ces personnes sont très contentes 😃, contentes 🙂, moyennement contentes 😐 ou pas contentes ☹ ?

1. ❏😃 ❏🙂 ❏😐 ❏☹   4. ❏😃 ❏🙂 ❏😐 ❏☹

2. ❏😃 ❏🙂 ❏😐 ❏☹   5. ❏😃 ❏🙂 ❏😐 ❏☹

3. ❏😃 ❏🙂 ❏😐 ❏☹

À l'écrit

1 **Vous êtes au restaurant, composez votre menu. En entrée, vous voulez des crudités ; pour le plat principal, vous ne voulez pas de poisson ; pour le dessert, vous ne voulez pas de fruit.**

Entrée : ....

Plat : ....

Dessert : ....

> **Le Bosquet**
> PARIS
>
> *Entrée au choix*
> Soupe de carottes
> Salade de tomates et de concombre
> Oeufs mimosa
> ❋
> *Plat au choix*
> Hamburger frites
> Poisson du jour - légumes
> Spaghetti bolognaise
> ❋
> *Dessert*
> Tarte aux pommes
> Gâteau au chocolat
> Salade de fruits

2 **Lisez cet article et répondez aux questions.**

Les ados entrent dans la course

La **Pierra Menta** est une grande course de ski et d'alpinisme* en France, ouverte à tous. Elle va se passer du 17 au 20 mars dans les Alpes. Cette année, des ados vont s'habiller chaudement, apporter leurs skis pour essayer de gagner cette course de montagne. Mais la course Pierra Menta, ce n'est pas seulement du ski, c'est aussi de l'alpinisme. Samedi et dimanche prochains, par équipe de 2, des jeunes de 16 à 20 ans vont faire cette compétition très difficile physiquement. Pour gagner c'est facile, il faut être le plus rapide. Facile à dire mais difficile faire, parce qu'il faut monter très haut, descendre vite et marcher sur des petits chemins dangereux. Il ne faut pas oublier de bien s'habiller : en montagne, il fait très froid et le soleil est souvent très fort. Pour les adultes, la course est un peu plus longue en kilomètres et en temps. Jeunes ou adultes, tous vont essayer de réaliser leur rêve : gagner cette course ou tout simplement… la terminer.

* alpinisme : sport qui consiste à escalader des montagnes (plus spécifiquement les Alpes).

Ⓐ Cette course est réservée aux adolescents. ☐ Vrai ☐ Faux

Justifiez votre réponse : ....

Ⓑ Quels sont les sports pratiqués pendant cette course ?

....

Ⓒ Combien de temps dure la course ?

....

Ⓓ C'est une course individuelle. ☐ Vrai ☐ Faux

Justifiez votre réponse : ....

Ⓔ C'est une course difficile. Pourquoi ? Donnez 5 raisons :

1. ....

2. ....

3. ....

4. ....

5. ....

Vocabulaire

1 ✳ **Voici des aliments à classer dans le tableau ci-dessous.**

hamburger - yaourt - carotte - thé - tomate - pomme - poire - steak - salade - café - concombre - corn flakes - soda - frites - fromage - jus de fruit - pain - riz - pâtes - eau - œufs - chocolat - lait - biscuits - banane

Viande	
Légumes	
Fruits	
Féculents	
Produits laitiers	
Desserts	
Boissons	

2 ✳ **Faites des menus.**

ⓐ Vous mangez devant la télé avec un ami. Composez votre menu :

Entrée	
Plat	
Dessert	
Boisson	

ⓑ C'est l'anniversaire de votre meilleur(e) ami(e). Vous lui préparez un bon repas. Composez votre menu :

Entrée	
Plat	
Dessert	
Boisson	

3 ✳ ✳ **Complétez le texte avec le mot qui convient (attention aux accords).**

content - fatigué - bon - sain - tranquille - important - équilibré

Sophie et Léa sont amies. Elles ont une vie très .... : elles font du sport et mangent de manière .... C'est très .... pour elles car elles veulent être en bonne santé. Sophie fait du tennis. C'est une .... joueuse. Léa, elle aime la vitesse. Elle n'est jamais............................... . Le tennis, pour elle, est un sport trop .... Les deux amies adorent leur vie ! Elles sont toujours ....

Phonétique

1 ✴ **Faites la différence entre [b], [v] et [f]. Écrivez les mots que vous entendez. Attention à leur orthographe.**

1.	
2.	
3.	
4.	
5.	
6.	
7.	
8.	
9.	
10.	
11.	
12.	

2 ✴✴ **Écoutez les adjectifs suivants. Sont-ils au féminin, au masculin ou... vous ne savez pas.**

	Masculin	Féminin	Je ne sais pas.
1.	❑	❑	❑
2.	❑	❑	❑
3.	❑	❑	❑
4.	❑	❑	❑
5.	❑	❑	❑
6.	❑	❑	❑
7.	❑	❑	❑
8.	❑	❑	❑
9.	❑	❑	❑
10.	❑	❑	❑

3 ✴✴ **Lisez les adjectifs suivants. Écrivez leur féminin. Prononcez-les au masculin et au féminin. Y-a-t il une différence de prononciation ?**

Masculin	Féminin	Y-a-t il une différence de prononciation entre le masculin et le féminin ?
Équilibré		❑ Oui ❑ Non
Idéal		❑ Oui ❑ Non
Correct		❑ Oui ❑ Non
Fatigué		❑ Oui ❑ Non
Tranquille		❑ Oui ❑ Non
Petit		❑ Oui ❑ Non

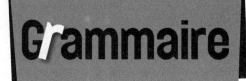

Grammaire

L'impératif négatif

1 ✷ ✷ **Donnez des conseils à l'impératif négatif.**

Ex. : Donnez un conseil à un(e) ami(e) qui va faire de la moto. → *Ne roule pas trop vite !*

ⓐ Donnez un conseil à un(e) ami(e) qui va faire du ski.

....

ⓑ Donnez un conseil à un(e) ami(e) qui va faire du sport.

....

ⓒ Donnez un conseil à un(e) ami(e) qui n'a pas de bonnes notes.

....

ⓓ Donnez un conseil à un(e) ami(e) qui mange tout le temps au fast-food.

....

Les pronoms compléments

2 ✷ **Soulignez les pronoms compléments. Notez-les dans le tableau et dites quelle(s) personne(s) ou quel(s) objet(s) ils remplacent.**

De : [   ]   Signature : Aucune ▲▼

Chère Paula,
J'espère que tu vas bien. Mes parents ont fait un voyage dans les Alpes. Ma sœur et moi <u>leur</u> avons offert ce voyage pour leur anniversaire de mariage. Nous leur avons réservé une chambre d'hôtel à Morzine. Mon père ne skie pas très bien. Nous l'avons donc inscrit dans un cours de ski. Un professeur s'est occupé de lui toute la semaine. Ma mère, elle, n'aime pas le ski, mais elle adore le patin. Nous lui avons acheté des patins tout neufs. Elle les a utilisés tous les jours. Pour qu'ils nous racontent leur journée, nous les avons appelés tous les soirs. Ils sont rentrés en pleine forme !
Quand allons-nous nous voir ? Pourquoi ne pas aller l'année prochaine au ski ?
Bises
Alex

Pronoms compléments	Ce pronom remplace la mère.	Ce pronom remplace le père.	Ce pronom remplace les parents.	Ce pronom remplace un objet. Lequel ?
Exemple			leur	
1.				
2.				
3.				
4.				
5.				
6.				

3 ✷ ✷ **Répondez aux questions en utilisant les pronoms compléments suivants :**

le - la - les - l' - lui - leur - en.

ⓐ Combien d'amis avez-vous ? ....

ⓑ Combien de sports faites-vous ? ....

ⓒ Quand voyez-vous vos amis ? ....

ⓓ À quel moment de la journée parlez-vous à vos parents ? ....

ⓔ De quoi parlez-vous à votre meilleur(e) ami(e) ? ....

L'article partitif

4 ✳ **Complétez les dialogues avec l'article partitif qui convient.**

Dialogue 1 :

- Voulez-vous .... thé ou .... café ?

- Je prendrai .... café, s'il vous plaît.

- Avec .... sucre ?

- Non, merci, sans sucre. Je dois faire attention.

- Vous ne prenez jamais .... sucre ?

- Non, jamais car ce n'est pas bon pour ma santé.

- Voulez-vous .... lait ?

- Oui, un peu, je vous prie.

Dialogue 2 :

- Tu fais .... sport ?

- Oui, un peu.

- Qu'est-ce que tu fais ?

- Je fais .... vélo et .... natation.

- Tu ne fais pas .... jogging ?

- Non, jamais. Je n'aime pas courir. Mais je fais ....
  randonnée, l'été surtout. Et toi ?

- Comme toi. .... la natation et .... yoga
  pour me détendre.

5 ✳ ✳ **Quelles sont les deux choses que vous venez de faire ces dernières heures ?**

ⓐ ....

ⓑ ....

Les adverbes en –ment

6 ✳ ✳ **Répondez aux questions en utilisant un adverbe que vous trouverez à partir des adjectifs suivants :**

correct - sain - régulier - tranquille - lent - rapide - facile.

Ex. : Faites-vous vos devoirs chaque soir ? *Je les fais* **régulièrement**.

ⓐ Faites-vous du sport ?

....

ⓑ Faites-vous attention à votre alimentation ?

....

ⓒ Voyez-vous souvent vos amis ?

....

ⓓ Parlez-vous français ?

....

ⓔ Comprenez-vous le français ?

....

Le passé récent

7 ✳ **Répondez aux questions en utilisant le passé récent.**

ⓐ Quand avez-vous fini de manger ?

....

ⓑ Quand as-tu fini tes cours de yoga ?

....

ⓒ Quand le film s'est-il terminé ?

....

ⓓ Quand rentrent-ils de vacances ?

....

1 Écoutez les témoignages des 5 amis. D'après vous, qui a de bonnes habitudes, des habitudes moyennes ou de mauvaises habitudes ? Est-ce que vous pouvez justifier vos choix à l'oral ?

		Bonnes habitudes	Habitudes moyennes	Mauvaises habitudes
1.	Emma			
2.	Léa			
3.	Mehdi			
4.	Paula			
5.	Hugo			

a Qui aime faire du sport ?

❏ Emma ❏ Léa ❏ Medhi ❏ Paula ❏ Hugo

b Qui aime beaucoup le lycée ? (2 réponses) ....

c Qui aime les jeux vidéo ? ....

d Qui regarde des séries américaines ? ....

e Quel sport fait Léa ?

❏ du rugby ❏ du foot ❏ on ne sait pas.

f Qui aime les films espagnols ? ....

2 Écoutez la discussion entre le médecin et Hugo. Répondez aux questions.

a Pourquoi Hugo vient-il voir le docteur ?
❏ Parce qu'il est fatigué.
❏ Pour une visite médicale.
❏ Parce qu'il a beaucoup maigri.

b Combien de fois par semaine Hugo fait-il du sport ?

....

c Est-ce que l'équipe d'Hugo est bonne ?
❏ Oui. ❏ Non.
Pourquoi ?

....

d Quel autre sport Hugo a-t-il déjà fait ?

....

e Pourquoi a-t-il arrêté ?

....

**Parler**

1 ✳ **Vous passez un entretien pour devenir danseur dans une troupe de jeunes. Jouez la scène avec votre voisin.** Aidez-vous de la boîte à outils.

Troupe de la Colline

Nous cherchons pour la saison prochaine des danseurs **et des** danseuses **pour rejoindre notre troupe d'amateurs.**

Tu souhaites passer une audition et nous rejoindre sur nos spectacles ?

➡ Téléphone-nous vite au 02 456 784.

Elsa ou Théo te répondra.

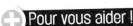
Pour vous aider !

Vous devez répondre aux questions suivantes :	Vous devez aussi poser les questions suivantes :
• comment vous vous appelez • comment vous êtes • quelle est votre expérience en danse • quand vous pouvez venir • où vous habitez	• combien de répétitions par semaine il y a • où sont les répétitions • combien de spectacles par an il y a • dans quelles villes sont les spectacles • combien il y a de danseurs

2 ✳ ✳ **Vos parents veulent que vous travailliez plus en classe. Ils demandent que vous quittiez votre club de sport. Vous leur expliquez que vous pouvez faire les deux, le sport et bien travailler en classe. Jouez la scène avec votre voisin(e) qui joue votre père ou votre mère.** Aidez-vous de la boîte à outils page 82 du Livre de l'élève.

1 Lisez l'article suivant.

Faut-il interdire les fast-foods ?

Il est interdit de fumer dans les magasins, les cafés, les restaurants, les discothèques. Pourquoi ? Parce que le tabac, c'est dangereux pour la santé. En vélo ou en scooter, il faut s'arrêter au feu rouge, laisser passer les piétons, ne pas rouler trop vite. Pour ne pas être malade, il faut s'habiller chaudement l'hiver. Il faut aussi se laver les mains et manger correctement.

Mais alors, pourquoi les fast-foods ne sont pas interdits ? Quand vous mangez dans un fast-food, vous mangez du gras, du sucre, presque pas de légumes et zéro fruit. Les médecins le disent : les fast-foods, c'est comme le tabac, c'est dangereux pour la santé. Pour acheter un paquet de cigarettes, je dois avoir 18 ans.

Avant cet âge, c'est interdit. Pourquoi pas pour acheter un hamburger ou des frites ?

Le fast-food n'est pas mauvais pour la santé si on fait attention : il ne faut pas y manger toutes les semaines, c'est tout. On peut y aller quelquefois dans l'année avec les copains. Mais il faut avoir une alimentation équilibrée le reste du temps : manger des fruits, des légumes, pas trop de sucre… et faire du sport. Pour le tabac, c'est autre chose : une seule cigarette, c'est déjà très mauvais pour la santé. Et manger un hamburger est beaucoup moins dangereux que de ne pas s'arrêter à un feu rouge à vélo. Alors, faut-il interdire les fast-foods ?

2 Répondez aux questions.

a Complétez le tableau avec les informations données dans l'article.

3 endroits où il est interdit de fumer	3 choses à faire à vélo ou à scooter	3 conseils pour être en bonne santé
1.	1.	1.
2.	2.	2.
3.	3.	3.

b Pourquoi les fast-foods ne sont pas bons pour la santé ?

....

....

c L'auteur ne comprend pas pourquoi les fast-foods ne sont pas interdits aux moins de 18 ans. Pourquoi ?

....

....

d Est-ce que les fast-foods sont dangereux pour la santé ?

☐ Oui, tout à fait.   ☐ Oui, mais ça dépend.   ☐ Non, pas vraiment.   ☐ Non, pas du tout.

e Dites si ces phrases sont vraies ou fausses. Justifiez votre réponse en citant une phrase du texte.

		Vrai	Faux
1.	On peut manger dans un fast-food 3 à 4 fois par mois. Justification :		
2.	Vendre du tabac aux enfants est interdit. Justification :		
3.	Un menu de fast-food, c'est beaucoup de gras et de légumes, et peu fruit. Justification :		

 **Écrire**

1 ✳✳**Vous écrivez sur votre blog un petit article sur les fast-foods (80 mots).** Aidez-vous de l'article page 76. **Vous parlez :**

ⓐ du nombre et du type de fast-foods qu'il y a dans votre quartier ou dans votre ville.

ⓑ de ce que vous mangez dans un fast-food.

ⓒ de votre avis sur la question : faut-il interdire les fast-foods ?

Mon blog

FAST-FOOD ? Pour ou contre ?

2 ✳ **Sur votre blog, vous parlez du sport que vous pratiquez (70 à 90 mots).**

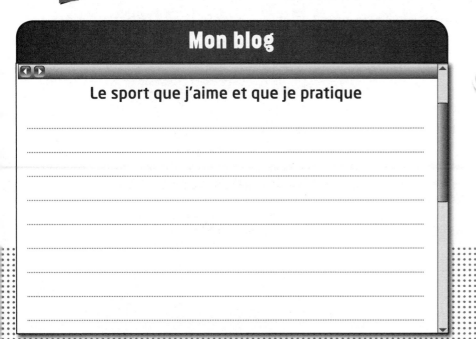

Mon blog

Le sport que j'aime et que je pratique

➕ Pour vous aider !

• Décrivez les activités de ce sport.
• Dites quel est votre niveau.
• Dites pourquoi vous avez choisi ce sport.
• Expliquez pourquoi ce sport est bon pour vous.

Qu*i*z civi

1 ✷ ✷ **Ces sportifs sont-ils français ou étrangers ? Faites des recherches sur Internet et complétez le tableau. Attention, certains peuvent avoir deux nationalités.**

	Nationalité	Sport pratiqué
Laure Manaudou	☐ française ☐ autre. Laquelle ?	....
Zinédine Zidane	☐ française ☐ autre. Laquelle ?	....
Teddy Riner	☐ française ☐ autre. Laquelle ?	....
Larbi Benboudaoud	☐ française ☐ autre. Laquelle ?	....
Paul Duchesnay	☐ française ☐ autre. Laquelle ?	....
Mary Pierce	☐ française ☐ autre. Laquelle ?	....
Jo-Wilfrid Tsonga	☐ française ☐ autre. Laquelle ?	....

2 ✷ ✷ **Faites une recherche sur Internet et répondez aux questions suivantes.**

ⓐ Comment s'appelle le Français qui a gagné le tournoi de Roland-Garros en 1983 ?

☐ Henri Leconte ☐ Yannick Noah ☐ Guy Forget

ⓑ En quelle année l'équipe de France a gagné le Mondial de football ?

☐ 1994 ☐ 1998 ☐ 2002

ⓒ Dans quel sport le franco-américain Tony Parker est-il champion ?

☐ Basket-ball ☐ Hockey sur glace ☐ Football américain

ⓓ Quel est le sport le plus pratiqué par les Français ?

☐ La pétanque ☐ Le football ☐ Le tennis

3 ✷ **Faites une recherche sur Internet . Combien de médailles d'or la France a remporté aux jeux olympiques d'été dans les sports suivants ?**

Sport	Nombre de médailles d'or		Sport	Nombre de médailles d'or
Natation			Escrime	
Tennis			Rugby	
Gymnastique			Boxe	

Apprendre à apprendre

Comprendre en contexte

Vous ne comprenez pas un mot ? Pas de panique. Essayez de le comprendre en contexte.
Par exemple, vous ne comprenez pas le mot « quai ». Tout seul, ce mot est difficile à comprendre.
Mais il peut être très important.

Prenons un exemple. Vous êtes dans une gare.
Vous entendez ou lisez : « *Le train de 18h45 à destination de Marseille partira quai numéro 4* ».
Vous comprenez le mot *train* ? *Destination* ? *Partir* ? *Numéro* ?
Qu'est-ce ce le message peut vous donner comme information ?
Est-ce que vous comprenez maintenant la signification du mot « quai » ?

→ **Lisez les phrases suivantes. N'ouvrez pas de dictionnaire.**
   Ne demandez pas à votre professeur, ni à votre voisin ou voisine de vous aider.
   Soulignez les mots que vous comprenez. Ensuite, essayez de comprendre les mots en gras.
   Enfin, écrivez dans votre langue leur traduction.

(a) J'ai perdu mon **portefeuille** dans le métro. Ma carte bancaire et mon passeport sont à l'intérieur. Qu'est-ce que je dois faire ?
Aller au poste de police ?

→ Traduction du mot *portefeuille* dans votre langue : ....

(b) Je ne trouve pas les lettres « é », « è » ou « ç » sur mon **clavier** quand j'écris en français à l'ordinateur.

→ Traduction du mot *clavier* dans votre langue : ....

(c) Les appels sont trop chers avec mon téléphone portable. Je préfère envoyer des **textos** à mes amis. C'est plus économique.

→ Traduction du mot *texto* dans votre langue : ....

(d) Je suis allé au théâtre hier. J'ai vu une **pièce** géniale. Elle a commencé à 20h00 et s'est finie à 22h00. Les acteurs étaient
magnifiques.

→ Traduction du mot *pièce* dans votre langue : ....

(e) Je fais du tennis de compétition. Pour avoir un bon niveau, je dois **m'entraîner** tous les jours : une heure tous les soirs après
l'école, et deux heures le samedi. Mon prof est sympa, mais c'est difficile.

→ Traduction du verbe *s'entraîner* dans votre langue : ....

(f) Mon frère mange trop ; il a beaucoup grossi. Le docteur lui conseille de faire un **régime**. Il ne doit plus manger de sucre,
ni de choses grasses comme des frites ou de la mayonnaise. Mais il peut manger tous les légumes qu'il veut.

→ Traduction du mot *régime* dans votre langue : ....

Portfolio

 Qu'avez-vous appris dans cette unité ?

Remplissez le tableau. Lorsque vous cochez 😐 ou ☹ révisez les pages concernées.

		😊	😐	☹
Je connais le nom des sports en français.	à l'écrit			
	à l'oral			
Je connais le nom des aliments.	à l'écrit			
	à l'oral			
Je peux parler de sport.	à l'écrit			
	à l'oral			
Je peux donner un conseil en santé.	à l'écrit			
	à l'oral			
Je peux m'inscrire dans un club de sport.				
Je peux comparer des habitudes	à l'écrit			
	à l'oral			
Je peux exprimer un sentiment.	à l'écrit			
	à l'oral			
Je peux dire comment j'organise ma vie.	à l'écrit			
	à l'oral			
Je peux parler de mes activités.	à l'écrit			
	à l'oral			
Je peux parler de mes habitudes alimentaires.	à l'écrit			
	à l'oral			
Je peux dire si je suis content ou pas.	à l'écrit			
	à l'oral			
Je peux donner des ordres à la forme négative.				
Je peux parler d'une action qui s'est finie il y a très peu de temps.				
Je peux reconnaître, prononcer et faire la différence entre les sons [v], [b] et [f].				
Je peux savoir quand ou pas, prononcer le « e ».				
Je peux utiliser le contexte pour comprendre un mot difficile.				
Je connais les sportifs préférés des Français.				

Globe - trotters

Parler de ses projets pour l'été

Faire des réservations

Acheter des billets

Se renseigner sur une région, un hôtel,
des horaires

COmpréhension

1 Écoutez le document et répondez aux questions.

a Quelle est la destination du train ? ....

b À quelle heure le train arrive à Lille ? ....

c Dans quelle voiture, pouvez-vous trouver de la lecture ?

☐ 3 ☐ 4 ☐ 5

2 Écoutez le document et répondez aux questions.

a Pourquoi les jeunes sont contents ? ....

b Combien d'amis partent en vacances ? ....

c Qui fait quoi ? Écrivez sous la photo de chaque personnage ce qu'il a préparé pour le voyage.

a. Maria	**b.** Paul	**c.** Akiko	**d.** Miguel

3 Écoutez le document et répondez aux questions.

a Dans quelle ville se passe le salon ?

☐ Paris ☐ Versailles

b Il s'agit d'un salon sur...

☐ les cultures. ☐ le travail. ☐ les voyages.

c Qui pouvez-vous rencontrer pendant le salon ?
(3 réponses attendues)

1. ....

2. ....

3. ....

d Que peux-tu faire sur le stand de la SNCF ?
(2 réponses)

1. ....

2. ....

e À quelle heure ferme le salon ?

☐ 12 h 00

☐ 19 h 00

☐ 22 h 00

À l'écrit

PORTAIL OFFICIEL DU TOURISME EN CORSE

Circuit « Expérience nature »

Cet été, nous vous proposons une randonnée exceptionnelle en Corse qui va durer 15 jours. Nous traverserons des paysages magnifiques, dans la campagne corse, loin des villes. Vous découvrirez les belles montagnes corses et leurs sommets magnifiques au coucher du soleil. Vous dormirez dans des familles d'accueil ou à la belle étoile dans les forêts ou au bord des lacs.

Pendant ce voyage, un guide qui connaît très bien la Corse vous accompagnera : il vous fera découvrir les traditions corses dans une ambiance très sympathique.

Pour réserver :

✓ téléphonez à l'office du tourisme : 33 (0)4 95 51 00 00

✓ ou envoyer un mail à corse @corsica.com

1 Lisez le texte et répondez aux questions.

ⓐ Quel type de séjour est proposé ?

....

....

ⓑ Où se passe le séjour ?

....

ⓒ Qu'est-ce que vous allez voir ?

☐ Des villes ☐ Des musées ☐ Des paysages

ⓓ Où dormirez-vous ?

....

ⓔ Qui va vous accompagner ?

....

ⓕ Que faut-il faire pour réserver ?

....

....

....

Arial ▼ 10 ▼ E ▪ G I S A E E E E E E E E »

Coucou Anaïs,

Ça y est ! Mes parents sont enfin d'accord ! Je peux partir en vacances avec toi chez tes grands-parents ! Je suis super contente. Je vais juste acheter le billet aller car mes parents viendront me chercher en voiture à la fin des vacances. Je peux avoir un tarif réduit car j'ai moins de 25 ans. J'ai regardé sur Internet et pour un voyage en seconde, le billet coûte 19€. Je voudrais partir le samedi 3 vers 10h00 pour arriver vers 16h00. Est-ce que cela te va ? Dis-moi vite... Je vais aller acheter mes billets de train demain.

Bises, Julie

2 Lisez le texte et répondez aux questions.

ⓐ Que va acheter Julie ?

☐ Un billet aller simple ☐ Un billet aller-retour

☐ Un sac de voyage

ⓑ Pourquoi Julie peut avoir un tarif réduit ?

....

ⓒ Combien coûte le billet de Julie ?

....

ⓓ Quel jour Julie voudrait-elle voyager ?

☐ Le 3 ☐ Le 10 ☐ Le 16

ⓔ Qu'est-ce que Julie demande à Anaïs ?

....

....

Vocabulaire

1 ✳ **Complétez le texte avec les mots suivants :**

serviette – à la belle étoile – lire – montagne – forêts – campagne – luge – plongée – ski – mer – randonnées

• Pour passer des vacances sportives, partez à la .... où il est possible de faire beaucoup d'activités, comme de la ...., du .... et du patin à glace.

• Si vous partez au bord de la ...., vous pourrez faire de la .... pour découvrir de beaux poissons, ou .... sur la plage tranquillement allongé sur votre ....

• Mais si vous préférez des vacances plus originales, choisissez le camping ! Vous pourrez vous promener dans les .... faire de longues .... à travers les chemins dans la .... et dormir ....

2 ✳✳ **À vous, quel est votre type de vacances ? Choisissez ce que vous préférez, expliquez pourquoi en complétant la phrase :**

(a) Je préfère partir en vacances à la montagne car je ....

(b) Mes vacances, je les passe toujours au bord de la mer parce que ....

(c) J'adore me retrouver à la campagne pendant les vacances ....

(d) Je pars toujours en vacances dans le sud car ....

(e) Je préfère les vacances à l'étranger parce que ....

3 ✳✳ **Choisissez une des images et imaginez vos vacances.**

(a)

(b)

Phonétique

1 ✳ ✳ Écoutez les sons et dites si vous entendez le son [ø], [œ] ou [ɛ] ? Cochez la bonne réponse.

	[ø]	[œ]	[e]
1.			
2.			
3.			
4.			
5.			

2 ✳ Écoutez la phrase puis complétez-la en écrivant le mot manquant.

1. Ils .... voyager en Espagne.

2. Il .... avoir un tarif réduit.

3. Il aime .... dans la campagne.

4. Il est très .... d'être au bord de la mer.

5. Ma serviette est ....

3 ✳ Dites si vous entendez le son [r] ou pas. Cochez la bonne réponse.

	Entendu [r]	Pas entendu
1.		
2.		
3.		
4.		
5.		

4 ✳ ✳ « f » ou « ph » ? Dites si les mots que vous entendez s'écrivent « f » ou « ph ». Cochez la bonne réponse.

	f	ph
1.		
2.		
3.		
4.		
5.		

Grammaire

✳ Le futur simple

1 ✳ Conjuguez le verbe au futur simple.

ⓐ Les filles (aller) .... à la plage demain.

ⓑ Emma et Baptiste (bronzer) .... sur la plage cet été.

ⓒ Tu (acheter) .... les billets de train samedi ?

ⓓ Nous (nager) .... dans l'océan ce week-end.

ⓔ Vos amis (voyager) .... dans un train couchette.

ⓕ Elles (se promener) .... dans la montagne.

ⓖ Vous (partir) .... en train ou en avion ?

ⓗ En Angleterre, je (vivre) .... dans une famille d'accueil.

ⓘ Les garçons (dormir) .... à la belle étoile.

ⓙ Kévin (faire) .... du vélo dimanche.

2 ✳ ✳ Complétez ce texte en utilisant les verbes de la liste :

commencerons – organiserons – baignerons – partirons – ferons – resterons – pourrons –
jouerons – dormirons

Cet été, nous .... faire du camping à la montagne, dans un centre de vacances. Nous ....

.... les vacances par une grande randonnée dans les Pyrénées. Ensuite, nous .... plus tranquilles

pour profiter des activités du centre de vacances. Nous nous .... dans la grande piscine, nous

....du tennis et nous .... même faire du ski sur l'herbe. Pendant les soirées,

pas de télé ! Alors nous .... à des jeux de société ou nous .... des soirées à thèmes :

chanson française, théâtre, cinéma... S'il fait beau, nous .... à la belle étoile ! Vivement les vacances !!!

✳ Le pronom « y »

3 ✳ Répondez aux questions en utilisant le pronom « y ».

Ex.: Est-ce que tu es déjà allé en Espagne ? Oui, j'y suis déjà allé. Non, je n'y suis jamais allé.

ⓐ Est-ce que tu es déjà allé aux États-Unis ? ....

ⓑ Est-ce que tu vas souvent à la montagne ? ....

ⓒ Est-ce que tu te promènes souvent dans la forêt ? ....

ⓓ Est-ce que vous allez au bord de la mer pendant les vacances ? ....

ⓔ Est-ce que tes amis vont à la campagne ce week-end ? ....

4 ✳ ✳ Complétez les phrases en utilisant le pronom qui convient : « y » ou « en ».

ⓐ Est-ce que Kévin habite au Mexique ? Oui, il .... habite.

ⓑ Emma est partie en vacances en Suisse ? Oui, elle .... revient.

ⓒ Vous vivez en France depuis combien de temps ? J'................ depuis 5 ans.

ⓓ Mes grands-parents aiment beaucoup la montagne. Ils .... vont tous les week-end.

ⓔ Marie, est-ce que tu peux aller au marché faire des courses ? Ah non, j'................ viens ! Et je suis trop fatiguée !

✳ Les pronoms relatifs *qui*, *que*, *où*

5 ✳ **Reliez les phrases avec le pronom relatif indiqué entre parenthèses.**

ⓐ Je vais souvent en France. La France est mon pays préféré. (qui) ....

....

ⓑ Je pars en vacances dans un centre sportif. Ce centre propose beaucoup d'activités. (qui) ....

....

ⓒ J'ai acheté des billets de train. Ces billets sont très chers. (que) ....

....

ⓓ J'ai choisi un club de randonnée. Ce club est très dynamique. (que) ....

....

ⓔ La Provence est une belle région. Il y a beaucoup de soleil. (où) ....

....

ⓕ Je veux partir dans un camping. On peut dormir à la belle étoile dans ce camping. (où) ....

....

6 ✳✳ **Complétez en utilisant le pronom relatif qui convient.**

ⓐ Demain je vais à la plage .... se trouve à côté du camping.

ⓑ Je voudrais partir dans un pays .... il fait chaud.

ⓒ Le vélo .... j'ai acheté est très léger.

ⓓ J'aimerais faire une excursion dans une ville .... il n'y a pas beaucoup de touristes car je déteste la foule.

ⓔ Le billet de train .... Marie a acheté était en promotion.

ⓕ Je louerai une chambre dans un hôtel .... est près de la gare.

✳ Le superlatif

7 ✳ **Répondez aux questions en utilisant un superlatif.**

ⓐ Est-ce les voyages à la montagne coûtent chers ? Non, les vacances à la montagne sont ....

ⓑ Est-ce que la natation est un sport dangereux ? Non, c'est le sport ....

ⓒ Est-ce que le vélo est bon pour la santé ? Oui, c'est .... sport pour la santé !

ⓓ Est-ce que tu as aimé la France ? Oui, c'est ....

.... pays que j'ai visité.

ⓔ Est-ce que Kévin parle bien anglais ?

Non, c'est lui qui parle ....

8 ✳✳ **Complétez les phrases avec le superlatif qui convient. Utilisez les informations de l'arbre généalogique.**

ⓐ Kévin est .... jeune de la famille.

ⓑ Mais c'est .... grand : il mesure 1 m 78 !

ⓒ Maria est .... petite, elle mesure 1 m 66.

ⓓ Baptiste est .... vieux, il a 42 ans.

ⓔ Chez les filles, c'est Narjès .... grande.

ⓕ Chez les garçons, c'est Thomas .... petit.

Baptiste, 1 m 76, 42 ans

Maria, 1 m 66, 38 ans

Thomas, 1 m 75, 18 ans

Narjès, 1 m 70, 16 ans

Kévin, 1 m 78, 15 ans

1 **Écoutez le document et répondez aux questions.**

ⓐ De quelle région, parle-t-on dans cette émission ?

....

ⓑ Pourquoi cette région est idéale pour les vacances ?

....

ⓒ Quelles activités pouvez-vous faire dans cette région ?

☐ Nager   ☐ Skier   ☐ Faire du patin à glace   ☐ Faire des randonnées

ⓓ Où pouvez-vous avoir des informations sur la région ?

....

2 **Écoutez le document et répondez aux questions.**

ⓐ À qui sont destinés les séjours proposés par la ville de Marseille ?

....

ⓑ Qu'est-ce que Florian pense du camping ?

....

ⓒ Quelle(s) autre(s) bonne(s) idée(s) de vacances donne Florian ?

....

....

ⓓ Vous êtes très intéressé(e) car vous voulez partir en vacances avec vos amis cet été à l'étranger...sans vos parents ! Écoutez une seconde fois l'émission et prenez des notes. Écrivez un courriel à vos amis pour leur donner des informations utiles.

Objet :	Informations sur les vacances à l'étranger	
De :		Signature : Aucune

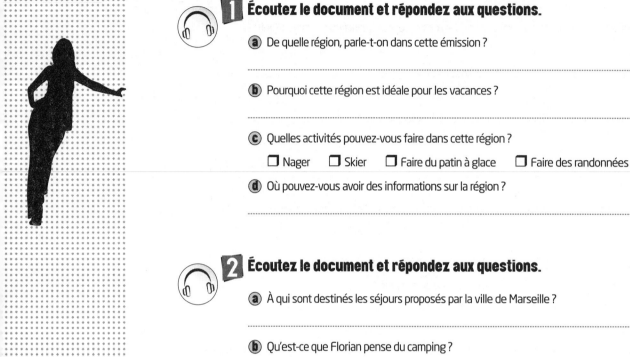

Parler

1 ✳ **Choisissez une image et décrivez ce que vous voyez. Vous devez parler du paysage, des personnes et de ce qu'elles font.**

2 ✳✳ **Lisez le document. Avec votre voisin, jouez la scène : l'un joue le touriste, l'autre le rôle de l'employé(e) de l'office du tourisme.**

À L'OFFICE DU TOURISME
Vous êtes en vacances à Paris. Vous venez d'arriver dans la ville et vous allez à l'office du tourisme pour avoir des renseignements. Vous posez des questions à l'employé(e) de l'office du tourisme sur les moyens de transports, les spectacles, les musées, etc., et vous vous informez sur le logement.

OFFICE DU TOURISME - PARIS	TRANSPORTS	SPECTACLES	VISITES	LOGEMENT
	· Bus · Métro · Tramway · Vélib'	◆ Le Moulin rouge ◆ Le cirque Pinder ◆ Concert de Luce au Zénith ◆ Concert de DIAM'S à Bercy ◆ Match de foot au Stade de France	➢ Notre-Dame ➢ Le Louvre ➢ Musée d'Orsay ➢ La tour Eiffel ➢ La tour Montparnassse	Hôtel ** *Le Picasso* ✔ Petit-déjeuner ✔ Salle de bains (baignoire) ✔ Internet wi-fi ✔ Téléphone ✔ Tv satellite ✔ Près du métro ✔ Tarif : 120 euros / nuit

Écrit

 **Lire**

1 **Lisez l'article suivant.**

Globe-painter

7 mois de voyages & de graffiti

Dans son livre *Globe-Painter*, l'artiste **Seth** nous offre un tour du monde des graffiti[1] du monde entier. Ce livre de voyage se présente sous la forme d'un journal. Il raconte ses aventures avec des photos et des dessins. Seth a voyagé pendant sept mois à travers l'Amérique du Sud, l'Océanie et l'Asie pour vivre de nouvelles expériences et étudier les graffiti que l'on trouve sur les murs des grandes villes : Rio, Sao Paulo, Santiago du Chili, Valparaiso, Buenos Aires, Sydney, Adélaïde, Hong Kong, Tokyo. Seth a rencontré les graffeurs[2] les plus célèbres de chaque pays. Il a étudié leur travail et a peint de nombreux graffiti avec eux. On retrouve les photos de ces graffiti dans le livre. Avec *Global-Painter*, Seth nous propose un voyage original autour du monde. C'est pourquoi, il a été invité à participer à l'émission « Les nouveaux explorateurs », qui propose de découvrir le monde d'une différente manière.

1 graffiti : peintures sur les murs des villes avec de la peinture en bombe.
2 graffeur : qui fait des graffiti.

2 **Répondez aux questions.**

a Quel est le métier de Seth ?

☐ Musicien   ☐ Peintre   ☐ Journaliste

b Que découvre-t-on dans le livre *Globe-Painter* ?

....

c Où Seth a-t-il travaillé ?

....

d Qui Seth a-t-il rencontré lors de ses voyages ?

☐ Des artistes de chaque pays   ☐ Des graffeurs français   ☐ Des journalistes étrangers

e Pourquoi Seth a-t-il été invité à l'émission « Les nouveaux explorateurs » ?

....

f Faites une recherche sur Internet (http://www.globepainter.com) et choisissez un des graffiti de Seth. Décrivez-le et dites pourquoi vous l'aimez.

....

....

....

....

 **Écrire**

1 Lisez l'article suivant.

UN VOYAGE SCIENTIFIQUE !

Depuis 5 ans, l'équipe de « Tara océans » réalise des voyages scientifiques pour protéger la planète. La Fondation Tara donne de l'argent pour la recherche scientifique française sur le réchauffement climatique. Les scientifiques doivent mener des expériences pour faire de nouvelles découvertes. L'équipe de Tara est partie de France en septembre et découvre les océans et mers d'Asie. Le voyage va se terminer dans trois ans. Toute l'équipe vit sur le bateau. Tout le monde dort dans des couchettes quand le bateau est en mer mais quand le bateau est près de la terre, l'équipe va dormir dans des familles d'accueil. Avec ce voyage, les scientifiques veulent informer le public de l'importance des océans et de l'impact du réchauffement climatique.

2 ✳ Répondez aux questions.

a Que fait l'équipe de « Tara océans » ? Soulignez les mots dans le texte.

b Pourquoi l'équipe de « Tara océans » réalise des voyages ?

....

....

....

....

3 ✳ Vous êtes très intéressé(e) par le projet « Tara Océans ». Vous décidez de poser des questions à l'équipage sur la vie à bord. Complétez la fiche ci-dessous.

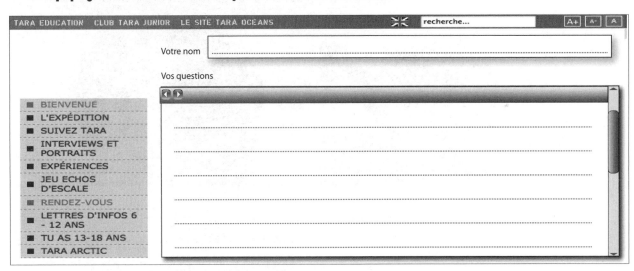

4 ✳✳ Lisez l'extrait du journal de bord écrit par l'équipe de Tara. Répondez aux questions.

Bonjour à tous,
Tara est arrivée depuis trois jours à Rio (Brésil). Nous avons passé 1 mois et demi sur l'océan Atlantique avant d'arriver au Brésil. Les Brésiliens sont vraiment très sympas. Nous mangeons des fruits exotiques qui sont très bons. Ça change beaucoup car sur le bateau nous mangeons surtout des carottes, des pâtes et des pommes ! Depuis notre arrivée, nous rencontrons de nombreux scientifiques brésiliens à qui nous présentons le projet Tara Océans.
En attendant le prochain message, toute l'équipe de Tara vous souhaite de bonnes vacances !

a Qu'est-ce qui a changé depuis l'arrivée de l'équipe au Brésil ?

....

b Que pensez-vous de cette expérience ?

....

....

c Est-ce que vous aimeriez voyager de cette façon ? Et pourquoi ?

....

....

....

Qu_iz_ civi

1 ⭐ **Qui est-ce ? Écrivez le bon nom sous chaque image :** *Jean-Yves Cousteau, Paul-Émile Victor, Jacques Cartier, Jean-Louis Étienne.* **Et faites des recherches sur Internet pour compléter leur fiche de renseignements.**

a. ....

Dates importantes : ....

Découvertes / pays explorés : ....

....

b. ....

Dates importantes : ....

Découvertes / pays explorés : ....

....

c. ....

Dates importantes : ....

Découvertes / pays explorés : ....

....

d. ....

Dates importantes : ....

Découvertes / pays explorés : ....

....

2 ⭐⭐ **Répondez aux questions suivantes en faisant des recherches sur Internet.**

ⓐ Quel type d'expéditions Paul-Émile Victor a-t-il effectué pour le gouvernement français ?
- ☐ Des expéditions touristiques
- ☐ Des expéditions scientifiques
- ☐ Des expéditions médicales

ⓑ Comment s'appelle l'association regroupant les grands explorateurs français ?
- ☐ La société des explorateurs français
- ☐ La Calypso
- ☐ Objectif Terre

ⓒ Quel est le premier métier du Commandant Cousteau ?
- ☐ Pêcheur
- ☐ Militaire
- ☐ Professeur

ⓓ Comment s'appelle la première femme qui a fait le tour du monde ?
- ☐ Paule Bernard
- ☐ Anita Conti
- ☐ Jeanne Barret

Apprendre à apprendre

Mieux comprendre un document à l'oral

Pour mieux comprendre ce que vous entendez, vous pouvez utiliser des indices qui vous aideront !

- **À l'oral, les sons et la voix donnent des informations sur :**
  - l'identité de la personne qui parle : *une femme jeune, un vendeur, un enfant...*
  - la situation de communication : *dans une gare, dans un supermarché, dans un bureau, à la maison...*

- **Voici quelques conseils à suivre pour trouver les indices sonores :**

1. Identifiez les bruits et les sons particuliers que vous entendez :
  - des bruits de moteurs ➜ la situation se passe dans la rue.
  - des enfants qui rigolent ➜ la situation se passe dans une école.
  - un jingle radio ➜ c'est une émission de radio.
  - une sonnerie de téléphone ➜ c'est une conversation téléphonique.

2. Comptez le nombre de voix que vous entendez.

3. Identifiez le genre des voix et leurs âges :
  - Est-ce un homme, une femme ?
  - La personne est-elle jeune (une petite fille, un petit garcon, une adolescent(e)) ?
  - Est-elle âgée (un adulte, une personne âgée) ?

4. Trouvez l'intonation.
  - l'affirmation (une déclaration) : la voix descend doucement.
  - l'interrogation (une question) : la voix monte doucement.
  - un ordre (une instruction) : la voix descend brusquement.

5. Devinez le registre de langue en cherchant les indices lexicaux suivants :
  - les termes de salutations et les pronoms personnels utilisés (je, tu ou vous) ;
  - les indices de l'oral ; les élisions, l'utilisation du « on », des petits mots comme « euh, ben... »

Portfolio

Qu'avez-vous appris dans cette unité ?

Remplissez le tableau. Lorsque vous cochez 😐 ou ☹ révisez les pages concernées.

		☺	😐	☹
Je connais les types de vacances en français.	à l'écrit			
	à l'oral			
Je connais le nom des lieux où l'on part en vacances.	à l'écrit			
	à l'oral			
Je peux décrire un lieu de vacances.	à l'écrit			
	à l'oral			
Je peux parler de mes projets pour l'été.	à l'écrit			
	à l'oral			
Je peux choisir une activité sportive ou culturelle.	à l'écrit			
	à l'oral			
Je peux faire une réservation.	à l'écrit			
	à l'oral			
Je peux choisir une activité ou un séjour.	à l'écrit			
	à l'oral			
Je peux annoncer un évènement qui va avoir lieu dans le futur.	à l'écrit			
	à l'oral			
Je sais utiliser le pronom y.	à l'écrit			
	à l'oral			
Je sais utiliser les pronoms relatifs qui, que, où.	à l'écrit			
	à l'oral			
Je sais utiliser le superlatif.	à l'écrit			
	à l'oral			
Je peux savoir quand ou pas, prononcer le son [r].				
Je peux reconnaître et prononcer les sons [œ] /[ə] / [ø].				
Je peux faire la différence entre les différentes façons d'écrire le son [f] : « f », « ff » ou « ph ».				
Je sais repérer les indices dans un document oral.				

Alphabet phonétique français

Voyelles et semi-voyelles	
[a]	<u>a</u>mi
[ɑ]	p<u>â</u>tes
[e]	<u>é</u>lève
[ɛ]	él<u>è</u>ve, l<u>ai</u>t
[i]	v<u>i</u>lle
[ɔ]	r<u>o</u>be
[o]	b<u>eau</u>, gr<u>o</u>s, P<u>au</u>l
[u]	c<u>ou</u>rs, f<u>oo</u>t
[y]	r<u>u</u>e
[œ]	s<u>œu</u>r, b<u>eu</u>rre
[ø]	p<u>eu</u>
[ə]	j<u>e</u>, l<u>e</u>
[ɛ̃]	p<u>ain</u>, m<u>in</u>ce, vi<u>en</u>s, c<u>ein</u>ture
[ɑ̃]	g<u>an</u>t, adolesc<u>ent</u>, <u>em</u>porter
[ɔ̃]	bl<u>on</u>d, p<u>om</u>pier
[œ̃]	br<u>un</u>
[j]	<u>y</u>eux, <u>hi</u>er
[ɥ]	h<u>ui</u>t
[w]	<u>ou</u>i
Consonnes	
[p]	<u>p</u>ère, a<u>pp</u>orter
[b]	<u>b</u>elle
[d]	<u>d</u>ate, a<u>dd</u>ition
[t]	<u>t</u>rain, a<u>tt</u>endre
[k]	<u>qu</u>atre, <u>c</u>rayon
[g]	<u>g</u>rand
[f]	<u>f</u>aire, <u>ph</u>ysique, a<u>ff</u>aire
[v]	<u>v</u>ille, <u>w</u>agon
[s]	<u>s</u>ortir, e<u>ss</u>ayer, <u>ç</u>a, <u>c</u>ela, de<u>s</u>cendre
[z]	<u>z</u>oo, vali<u>s</u>e
[ʒ]	<u>j</u>eu
[ʃ]	<u>ch</u>emin
[l]	<u>l</u>ait, vi<u>ll</u>e
[r]	<u>r</u>usse, a<u>rr</u>iver
[m]	<u>m</u>ère, gra<u>mm</u>aire
[n]	<u>n</u>aissance, italie<u>nn</u>e
[ɲ]	ga<u>gn</u>er

Compréhension orale

1 Écoutez le message suivant.

2 Répondez aux questions.

ⓐ Pourquoi est-ce que Caroline appelle ?

- ❏ Pour aller chercher Thomas à l'aéroport.
- ❏ Pour demander à Thomas de l'aide.
- ❏ Pour préciser l'heure d'un rendez-vous.

ⓑ Que doit faire Thomas ?

....

ⓒ À quelle heure arrive Fabricio à l'aéroport ?

- ❏ 14 heures.
- ❏ 14 heures 40.
- ❏ 15 heures.
- ❏ 15 heures 40.

ⓓ De quelle ville vient Fabricio ?

....

ⓔ Comment est Fabricio ?

- ❏ grand, cheveux longs noirs et yeux bleus.
- ❏ grand, cheveux longs noirs et yeux marrons.
- ❏ grand, cheveux longs blonds et yeux bleus.
- ❏ grand, cheveux longs blonds et yeux marrons.

ⓕ Qu'apporte Fabricio avec lui ?

....

Production orale

Monologue suivi (durée : 1 à 2 minutes)
Au choix, situation 1 ou 2.

1. Présentez votre meilleur(e) ami(e). Comment est-il/elle ? Décrivez votre meilleur(e) ami(e) physiquement et moralement.

2. Présentez les activités sportives et artistiques de votre ville.

Exercice en interaction (simulation d'un dialogue avec votre voisin. Vous devez être capable de saluer et d'utiliser des règles de politesse.)
Au choix, situation 1 ou 2.

1. Votre frère a une nouvelle copine. Vous le dites à votre ami français et vous lui décrivez cette personne.

2. Vous rencontrez un nouvel élève français dans votre lycée. Vous vous présentez et vous parlez de vos centres d'intérêt : vos activités sportives, artistiques et culturelles préférées.

 **Compréhension écrite**

1 Vous avez un correspondant français. Il s'appelle Samir. Il va vous rendre visite. Il va vivre chez vous une semaine. Il vous écrit avant son départ.

À :	pote@internet.int
Objet :	Mon arrivée et mon séjour chez toi
De :	samir@internet.fr

Signature : Aucune

Salut,

J'espère que tu vas bien. J'arrive demain par le vol AF 224 à 18h40. C'est gentil de venir me chercher. Tu vas venir seul ou avec tes parents à l'aéroport ?

Nous ne nous sommes jamais rencontrés. C'est facile pour me reconnaître. Je suis grand, mince. J'ai des cheveux bruns. Ils sont très frisés et pas très courts. Je ne porte pas de lunettes.

Je suis content de venir chez toi et de te connaître. Qu'est-ce nous allons faire la semaine ? J'adore le sport et la musique. J'aime bien le cinéma mais pas du tout faire du shopping. Les musées ? Je ne sais pas, je n'y vais pas souvent.

Je suis sûr que nous allons nous amuser. Je suis une personne joyeuse et drôle. Avec moi, tu ne vas pas t'ennuyer.

À demain,

Samir

2 Répondez aux questions.

ⓐ Comment Samir vient-il vous voir ?

1. ☐   2. ☐   3. ☐   4. ☐

ⓑ Samir arrive...

☐ le matin.   ☐ l'après-midi.   ☐ le soir.   ☐ la nuit.

ⓒ D'après le courriel, qui est Samir ?

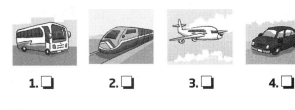

1. ☐   2. ☐   3. ☐   4. ☐

ⓓ Qu'est-ce que Samir aime beaucoup ? Un peu ? Pas du tout ? Reliez les activités aux émotions.

La musique	Le sport	Le cinéma	Le shopping	Les musées
●	●	●	●	●

ⓔ Quel est le caractère de Samir ?

....

 **Production écrite**

Vous recevez ce message de votre amie Victoire. Vous lui répondez en décrivant votre nouvel ami belge. (60 mots minimum).

Objet :	Alors ?
De :	toi@amis.com

Salut !

Alors ? Comment est ton nouvel ami belge ? Il est grand ? petit ? gentil ? ... Je sais qu'il est chez toi depuis deux jours. J'attends ton message !

Bises, Victoire

1 Écoutez le document.

2 Répondez aux questions.

ⓐ Alex trouve que son quartier est...

☐ calme. ☐ ennuyeux. ☐ dynamique.

ⓑ Dans son quartier, quel est le magasin préféré d'Alex ?

☐1 ☐2 ☐3

ⓒ D'après Alex, où peut-on se reposer ?

_____

ⓓ Qu'est-ce qu'il y a sur la grande place tous les dimanches ?

_____

ⓔ Quelle activité peut-on faire à la maison des jeunes ? (plusieurs réponses possibles, une seule attendue)

_____

ⓕ Qu'est-ce qui est organisé tous les mois par la maison des jeunes ?

☐ Des expositions ☐ Des concerts ☐ Des spectacles de hip-hop

ⓖ Que peut-on faire le samedi soir dans la grande salle de la maison des jeunes ?

☐ Danser ☐ Regarder un film ☐ Assister à un concert

 **Production orale**

Au choix, sujet 1 ou 2

Sujet 1 : Mon quartier

Décrivez votre quartier. Quelles activités peut-on faire ? Quels magasins y a-t-il ? Quels moyens de transport peut-on prendre ? Qu'est-ce que vous aimez faire dans votre quartier le week-end ?

Sujet 2 : Mon shopping

Est-ce que vous aimez faire du shopping ? Pourquoi ? Quels sont vos magasins préférés ? Pourquoi ? Est-ce que vous achetez sur Internet ? Pourquoi ? Comment payez-vous vos achats ?

Compréhension écrite

1 Vous recevez ce courriel.

| Objet : | | Signature : Aucune |
| De : | | |

Salut,
J'espère que tu vas bien. Je t'écris pour te dire que c'est l'anniversaire de Zoé samedi soir. On va tous chez elle. Avec Lilli et Fred, on se retrouve devant le centre commercial à côté de la poste. Attention, pas celui près des cinémas. On va prendre le bus jusqu'à la gare et après ce n'est pas très loin. Il ne faut pas sortir de la gare en face mais sur la droite. Après il faut traverser la rue et aller dans la rue des Peupliers. Arrivés à la boulangerie, on doit tourner à gauche et c'est la deuxième maison sur la droite. Appelle-moi pour me dire si tu viens.
À plus tard.
Matis

2 Répondez aux questions.

ⓐ Matis écris pour...

☐ vous inviter à son anniversaire.　☐ aller à l'anniversaire de Zoé.　☐ acheter un cadeau d'anniversaire.

ⓑ Où Matis vous donne-t-il rendez-vous ?

☐ À la poste　☐ Au cinéma　☐ Au centre commercial

ⓒ Quel moyen de transport allez-vous prendre ?

☐1　　　☐2　　　☐3

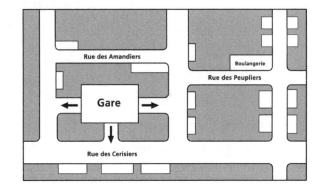

ⓓ Tracez le chemin expliqué par Matis.

ⓔ Que vous demande Matis à la fin de son message ?

Production écrite

Vous allez bientôt accueillir un(e) ami(e) français(e) chez vous.

Vous lui écrivez un courriel. Vous parlez :
- **de votre quartier (où il se trouve et les commerces qu'il y a) ;**
- **des choses que vous allez faire ensemble (activités culturelles, sportives...).**

Vous lui expliquez aussi le chemin pour aller de chez vous à votre lycée.
N'oubliez pas de la saluer !
(60-80 mots).

| Objet : | | Signature : Aucune |
| De : | | |

1 Écoutez le message suivant.

2 Répondez aux questions.

a) Pourquoi est-ce que Julie appelle ?

❑ Pour organiser une fête.

❑ Pour inviter Théo à une fête.

❑ Pour changer la date d'une fête.

b) Quelle est la date de la fête ? ....

c) À quelle heure commence la fête ?

❑ 8 heures.

❑ 7 heures.

❑ 7 heures et demie.

❑ 8 heures et demie.

d) Combien y a-t-il d'invités ? ....

e) Que doit apporter Théo ?

❑ À boire, à manger et de la musique.

❑ À boire et à manger.

❑ À manger et de la musique.

❑ À boire et de la musique.

f) Que va préparer Julie ?

 Production orale

Exercice en interaction (simulation d'un dialogue avec votre voisin)

Vous voulez voir un film français au cinéma.

Vous téléphonez à un ami français pour lui demander conseil.

Vous lui dites quel genre de film vous aimez.

Vous lui posez des questions sur les acteurs français et les nouveaux films présentés cette année.
Votre ami vous pose aussi des questions sur vos goûts.

 Compréhension écrite

1 **Vous habitez à Paris. Vos amis Théo, Emma et Julie viennent vous rendre visite.**

Vous voulez leur faire découvrir la capitale mais Emma déteste marcher longtemps, Théo aime les endroits calmes et Julie déteste les magasins.

Quelle sortie allez-vous choisir ?

Montmartre	**Le Boulevard Haussmann**	**Le musée des arts premiers**	**La flèche d'or**
Un joli quartier typique du Paris populaire. Pour les amoureux des promenades romantiques. Attention, à Montmartre, les rues sont petites et pleine de monde. N'oubliez pas vos chaussures de sport car ça monte et ça descend tout le temps.	*Le paradis des consommateurs.* Vous trouvez tout ce que vous cherchez : vêtements, jeux vidéo, cinéma, restaurants et cafés. Beaucoup de monde du matin au soir. À Noël, les décorations sont magnifiques.	*Un nouveau musée, moderne et très intéressant.* Il y a des salles d'exposition grandes et tranquilles. Visitez aussi le très beau jardin et son joli café où vous pouvez lire et écouter de la musique.	*Un café pour les amoureux de la musique à Paris.* On passe toujours une bonne soirée dans ce café-concert très jeune de la capitale : de la musique, des concerts, des expositions et de la danse jusqu'au petit matin.
Cette sortie ne convient pas à...	**Cette sortie ne convient pas à...**	**Cette sortie ne convient pas à...**	**Cette sortie ne convient pas à...**
☐ Emma	☐ Emma	☐ Emma	☐ Emma
☐ Théo	☐ Théo	☐ Théo	☐ Théo
☐ Julie	☐ Julie	☐ Julie	☐ Julie

Quel est votre choix ?			
☐ **Montmartre**	☐ **Le boulevard Haussmann**	☐ **Le musée des arts premiers**	☐ **La flèche d'or**

✎ Production écrite

Vous êtes allé(e) à la Fête de la musique le 21 juin dernier dans votre ville. Vous écrivez un courriel à votre ami français Lucas pour lui raconter votre soirée (où vous êtes allé, avec qui, ce que vous avez fait). Vous lui donnez vos impressions sur la soirée. (60 à 80 mots).

À :	Lucas@internet.fr
Objet :	Fête de la musique
De :	

Signature : Aucune

Compréhension orale

1 Écoutez le document.

2 Répondez aux questions.

ⓐ Comment s'appelle l'émission ? _____

ⓑ Que pouvez-vous gagner au jeu ?

❏ 1

❏ 2

❏ 3

ⓒ Quel jour a lieu le défilé ? _____

ⓓ Que devez-vous faire pour gagner ?

❏ Envoyer un message.   ❏ Remplir un formulaire   ❏ Répondre à une question

ⓔ Quel numéro devez-vous appeler pour participer ?   01 _____

Production orale

Monologue suivi (durée : 1 à 2 minutes)

Achat dans les magasins. Où achetez-vous vos vêtements en général ? Avec qui y allez-vous ?
Racontez votre dernière expérience de shopping.

Compréhension écrite

1 Lisez le texte suivant.

Moins de publicité à Paris

■ À quoi sert la pub ?

Les pubs que tu vois à la télé, que tu entends à la radio ou que tu vois dans la rue sont là pour une raison très claire : faire acheter. Et ça marche ! Grâce à la publicité, les marques vendent plus de produits et gagnent plus d'argent. À New York, aux États-Unis, dans le quartier de Times Square, la publicité est présente partout.

■ Pourquoi réduire le nombre d'affiches publicitaires, à Paris ?

La mairie de Paris veut diminuer la publicité et protéger le paysage de la ville. Les panneaux publicitaires occupent beaucoup de place. Souvent très colorés, ils attirent le regard et cachent parfois des bâtiments historiques. Certains panneaux publicitaires sont lumineux (comme sur la photo), et consomment donc beaucoup d'électricité.

La mairie de Paris veut aussi protéger les adolescents de la pub. À la rentrée prochaine, tu ne verras plus d'affiches publicitaires près de ton école. Les pubs sont interdites à moins de 50 mètres de toutes les écoles. Pourquoi ? Car les jeunes sont très sensibles à la publicité qui leur donne envie d'acheter : ils pensent qu'ils sont branchés s'ils achètent ce jean ou ces chaussures de marque !

2 Répondez aux questions.

ⓐ Que permet la publicité aux marques ?

☐ Informer

☐ Décorer la ville

☐ Vendre des produits

ⓑ Que trouve-t-on à Times Square à New York ?

....

....

ⓒ Quels sont les problèmes des panneaux publicitaires (2 réponses) ?

☐ Ils s'usent rapidement.

☐ Ils coûtent cher à installer.

☐ Ils utilisent beaucoup d'énergie.

☐ Ils cachent les bâtiments des villes.

ⓓ Qu'a fait la mairie de Paris pour protéger les adolescents de la publicité ?

....

....

ⓔ Pourquoi la mairie de Paris veut-elle protéger les adolescents ?

☐ Parce qu'ils sont attirés par la publicité.

☐ Parce qu'ils n'ont pas beaucoup d'argent.

☐ Parce qu'ils passent trop de temps à regarder la pub.

Production écrite

Vous avez participé à une soirée du nouvel an. Vous écrivez un courriel à votre correspondant français pour lui raconter la soirée : où c'était, avec qui vous étiez, comment vous étiez habillé(e) et ce que vous avez fait. (60-80 mots).

Objet :	
De :	Signature : Aucune

....

....

....

....

....

....

....

....

Compréhension orale

LA GRANDE RADIO

🎧 **1** Écoutez le document.

2 Répondez aux questions.

ⓐ Comment s'appelle l'émission de radio ?

ⓑ Quel est le thème général de l'émission ?

ⓒ Quelle est la profession de l'invité ?

ⓓ À quelle heure a lieu l'émission ?

❑ De 9h à 10h.

❑ De 9h30 à 10h30.

❑ De 9h à 10h30.

ⓔ Pourquoi les auditeurs doivent-ils téléphoner ?

❑ Pour poser des questions.

❑ Pour jouer à un concours.

❑ Pour prendre rendez-vous.

ⓕ À quel numéro doivent-ils téléphoner ?

 ## Production orale

Monologue suivi (durée : 1 à 2 minutes)
Est-ce que vous faites du sport ? Quel sport ? Combien de fois par semaine ? Quel niveau avez-vous ?
Avec qui le pratiquez-vous ?

Compréhension écrite

1 Lisez l'article suivant.

L'équipe de France de natation a gagné 21 médailles pendant les championnats d'Europe

Les nageurs français Frédérick Bousquet, Hugues Duboscq, Fabien Gilot et Camille Lacourt sont très heureux après leur victoire du 4 x 100 mètres dimanche aux championnats d'Europe de natation à Budapest. Cette dernière médaille d'or termine l'incroyable aventure de l'équipe de France pendant cette compétition. Les Bleus ont gagné 23 médailles : 7 en argent, 6 en bronze et 8 en or. C'est un record de médailles d'or pour la France en championnat d'Europe. Surtout pour Camille Lacourt qui en a remporté 3 pendant cette compétition.

Les Français victorieux sont rentrés en France hier soir. Demain, ils vont rencontrer le président de la République et, dans l'après-midi, ils vont descendre l'avenue des Champs-Elysées, à Paris, dans un bus pour être applaudis par le public. Les championnats d'Europe en sport individuel sont une victoire pour les Français cet été. Avec 21 médailles, la natation française fait mieux que l'équipe française d'athlétisme, qui a remporté 18 médailles à Barcelone en juillet dernier. Et mieux encore que les championnats de natation, à Madrid : les Français avaient gagné 17 médailles, dont 6 en or.

2 Répondez aux questions.

ⓐ Dans quelles villes ont eu lieu les championnats de natation ? (Plusieurs réponses sont possibles)

❑ Paris

❑ Madrid

❑ Budapest

❑ Madrid

ⓑ Pourquoi cette dernière compétition a été incroyable pour l'équipe de France ?

....

ⓒ Pourquoi Camille Lacourt a été extraordinaire ?

....

ⓓ Qui attend, demain, les nageurs ?

- ....

- ....

ⓔ Complétez le tableau ci-dessous. Si l'information n'est pas dans l'article, écrivez « ? » :

Villes	Sport pratiqué	Nombre de médailles	Nombre de médailles d'or
Barcelone			
Budapest			
Madrid			

✎ Production écrite

Vous avez passé une journée dans un club de sport. Vous avez beaucoup aimé. Vous écrivez un courriel à votre ami(e) pour lui raconter ce que vous avez fait et pour lui proposer de s'inscrire avec vous. (60 à 80 mots).

Objet :	
≡▼ De :	Signature : Aucune ⬍

....
....
....
....
....
....
....

Compréhension orale

1 Écoutez le document.

2 Répondez aux questions.

ⓐ Où veulent partir les amis ?

❑ À la campagne.

❑ Au bord de la mer.

❑ À la montagne.

ⓑ Combien de temps veulent partir les amis ?

....

ⓒ Quelles activités peut-on faire dans le club du Palais ?

❑ du vélo

❑ du bateau

❑ du football

❑ de la moto

❑ de la randonnée

❑ de la planche à voile

ⓓ Quel est le logement proposé à St-Malo ?

....

ⓔ Combien coûte un séjour ?

....

ⓕ Comment les jeunes peuvent-ils aller en Bretagne ?

❑ En avion   ❑ En train   ❑ En voiture

ⓖ Pourquoi le jeune doit-il faire attention ?

....

Production orale

Monologue suivi (durée : 1 à 2 minutes)
Mes vacances. Où partez-vous en vacances en général ? Avec qui partez-vous ?
Racontez vos dernières vacances.

YOUPI !!!
C'EST LES
VACANCES !!!

Compréhension écrite

1 **Lisez le texte suivant.**

Avec la carte 12/25, voyage quand tu veux !

✔ Si tu as entre **12 et 25 ans**, voyage à prix réduit pendant 1 an pour seulement **50 €**, avec la **Carte de réduction 12-25** !

✔ À bord du TGV et des trains de nuit, vous pouvez avoir des réductions allant de -25 % à - 60 %. Plus vous achetez vos billets de train tôt, plus votre réduction sera importante (jusqu'à 60% !). Vous aurez une réduction de -25 % pour tous les trains et tous les jours en France.

✔ Et également si vous voyagez en Europe dans l'un des 29 pays européens suivants : L'Allemagne, l'Autriche, la Belgique, la Bulgarie, la Croatie, le Danemark, l'Espagne, la Finlande, la Grèce, la Hongrie, l'Italie, la Lettonie, la Lituanie, le Luxembourg, la Macédoine, le Monténégro, la Norvège, les Pays-Bas, la Pologne, le Portugal, la République Tchèque, la Roumanie, le Royaume-Uni, la Slovaquie, la Slovénie, la Suède, la Suisse, l'Ukraine et la Serbie.

> Exemples de tarifs réduits avec la Carte 12-25 :

Sur un aller simple **Paris** → **Lyon** en seconde classe :

Prix :   sans la carte : **45 €**

           avec la carte : **27 €**

POUR ÉCHANGER VOS BILLETS :

Vous pouvez échanger vos billets avant le départ sans rien payer. L'échange de vos billets est gratuit et le remboursement intégral jusqu'à la veille du départ. Le jour du départ, vous pouvez les échanger pour 3€ avec votre Carte 12-25. Après le départ de votre train, vous ne pouvez plus échanger votre billet.

2 **Répondez aux questions.**

ⓐ Quel est le prix de la carte de réduction ?

....

ⓑ Qui peut acheter la carte de réduction ?

  ❑ Les jeunes   ❑ Les adultes   ❑ Les seniors

ⓒ Que faut-il faire pour avoir une réduction de -60% ?

  ❑ Prendre un train de nuit

  ❑ Acheter son billet à l'avance

  ❑ Voyager à plusieurs

ⓓ Quelle est la réduction que vous pouvez toujours avoir ?

  ❑ -10%   ❑ -25 %   ❑ - 50%

ⓔ On peut utiliser la carte à l'étranger ? Vrai ou faux : justifiez votre réponse.

....

....

....

ⓕ Combien coûte l'échange d'un billet de train le jour du départ ?

....

Production écrite

Vous avez participé à un séjour dans un club de vacances à la montagne. Vous écrivez un courriel à votre correspondant français pour lui raconter votre séjour: où c'était, avec qui vous étiez, ce que vous avez fait. (60-80 mots).

Objet :		
De :		Signature : Aucune

Lexique

Unité 0

À bientôt
Acteur (m)
Actrice (f)
Adresse (f)
Âge (m)
À la prochaine
À la semaine prochaine
Appeler
À plus
À tout à l'heure
À tout de suite
Au revoir
Bibliothèque (f)
Bise (f)
Bonjour
Bonne nuit
Bonne soirée
Bonsoir
Cadeau (m)
Chanteur (m)
Chanteuse (f)
Code postal (m)
Corriger
Coucou
Cours (m)
Courses (f)
Date (f)
Date de naissance (f)
Dossier (m)

Drapeau (m)
Enchanté(e)
Erreur (f)
Famille (f)
Fête (f)
Formulaire (m)
Gagner
Habiter
Inscription (f)
Lieu (m)
Lycée (m)
Musique (f)
Naître
Nationalité (f)
Nom (m)
Numéro (m)
Parents (m)
Pays (m)
Prénom (m)
Répondre
Salut
Semaine (f)
Se présenter
(Se) serrer la main
Sport (m)
Téléphone (m)
Vacances (f)
Ville (f)

Unité 1

Aller au cinéma
Avoir cours de danse
Avoir les cheveux longs ≠ courts
Bien s'entendre avec quelqu'un
Blog (m)
Bleu
Blond(e)
Brun(e)
Chanter
Châtain
Concert (m)
Danse (f)
Danser
Discothèque (f)
Drôle
Écouter de la musique
Ennuyeux(se)
Être de taille moyenne
Faire de la danse
Faire du shopping
Faire du sport
Foncé(e)

Génial(e)
Grand(e)
Gros(se)
Jouer au rugby
Jouer de la guitare
Joyeux (se)
Marron
Mince
Musclé(e)
Passer son permis de conduire
Petit(e)
Prendre des cours de conduite
Regarder la télévision
Sévère
Sortie (f)
Sportif/sportive
Strict(e)
Surfer sur Internet
Sympa
Théâtre (m)
Vert(e)
Yeux (m) - oeil

Lexique

Unité 2

À droite
À gauche
À pied
Acheter
Activité (f)
Affaire (f)
Ambiance (f)
Animé(e)
Après
Argent de poche (m)
Arriver
Arrondissement (m)
Auto-école (f)
Avant
Baignoire (f)
Boire
Boucherie (f)
Boulangerie (f)
Boulevard (m)
Boutique (f)
Bureau (m)
Bus (m)
Café (m)
Canapé (m)
Carte bancaire (f)
Carte prépayée (f)
Centre commercial (m)
Chambre (f)
Chemin (m)
Chercher
Choisir
Cinéma (m)
Commerce (m)
Comparer
Connaître
Continuer
Consulter
Cuisine (f)

Décoration (f)
Derrière
Devant
Douche (f)
Économiser
En désordre
En face
En ligne
Endroit (m)
Énorme
Être fan de
Exposition (f)
Faire les magasins
Gare (f)
Hip-hop (m)
Immense
Impressionnant(e)
Indiquer
Instrument (m)
Jeu vidéo (m)
Lecteur MP3 (m)
Librairie-papeterie (f)
Lieu (m)
Lit (m)
Magasin (m)
Magnifique
Maison (f)
Marché (m)
Métro (m)
Moyen de transport (m)
Mur (m)
Musée (m)
Ordinateur (m)
Ordonné(e)
Parc (m)
Pharmacie (f)
Pique-niquer
Piscine (f)

Place (f)
Plan (m)
Poissonnerie (f)
Poste (f)
Pouvoir
Prendre
Près de
Promenade (f)
Puces (f)
Quartier (m)
Rangé(e)
Rechercher
Regarder
Repérage (m)
Restaurant (m)
Rue (f)
S'amuser
Salle à manger(f)
Salle de bains (f)
Salon (m)
Scooter (m)
Se balader
Se promener
Sombre
Sortir
Supermarché (m)
Table (f)
Tapis (m)
Télécharger
Terrasse (f)
Tourner
Tout droit
Tramway (m)
Traverser
Trouver
Vélo (m)
Voir
Voiture (f)

Unité 3

À côté de

Accepter

Apporter

Art (m)

Attendre

Au milieu de

Aventure (f)

Avoir besoin de

En bas

BD : bande dessinée (f)

Boîte (f)

Campagne (f)

Carnaval (m)

Centre-ville (m)

Complètement

Contemporain

Dédicace (f)

Derrière

Dessous

Dessus

Détail (m)

Devant

Dommage

En face de

Entraînement (m)

Entre

Erreur (f)

Être partant

Expliquer

Fête (f)

Festival (m)

Groupe de musique (m)

Impossible

Inauguration (f)

Invitation (f)

Invité(e)

Se libérer

Libre

Moment (m)

Moyenne (f)

Numéro (m)

Occupé(e)

Organiser

Parc d'attractions (m)

Particulièrement

Plaisir (m)

Pratiquer

Prêter

Prévu

Raconter

Raccrocher

Roman (m)

Refuser

Repos (m)

Seconde (f)

Sms (m)

Soirée (f)

Soldes (m)

Souhaiter

Sous

Spectacle (m)

Sur

Témoignage (m)

Terrain (de sport) (m)

Texto (m)

Théâtre (m)

S'excuser

Se passer

Se terminer

Se tromper

Lexique

Unité 4

Accessoire de mode (m)
Ajusté(e)
Appareil électronique (m)
Appareil photo (m)
Assez
Bague (f)
Bas (m)
Bijou (m)
Bottes (f)
Boucles d'oreilles (f)
Branché(e)
Casque (m)
Ceinture (f)
Chapeau (m)
Chaussette (f)
Chaussure (f)
Chaussure à talon haut (f)
Chemise (f)
Classe
Classique
Collant (m)
Coloré(e)
Costume (m)
Coûter cher
Cravate (f)
Danger (m)
Défilé de mode (m)
Démodé(e)

Dépenser
Écharpe (f)
Être à l'aise
Être à la mode
Excentrique
Faire du shopping
Faire les magasins
Gadget (m)
Gilet (m)
Habiller (s')
Haut (m)
Jeans (m)
Jeu en ligne (m)
Jogging (m)
Jupe (f)
Large
Lecteur MP3 (m)
Logo (m)
Look (m)
Lunettes (f)
Maquillage (m)
Mariage (m)
Marque (f)
Mettre un vêtement
Mode (f)
Modèle (m)
Montre (f)
Ordinateur portable (m)

Pantalon (m)
Peu
Plaire
Porter
Produit (m)
Publicité (f)
Pull (m)
Punk
Qualité (f)
Rayure (f)
Robe (f)
Sac (m)
Sac à dos (m)
Sécurisé(e)
Short (m)
Slogan (m)
Style (m)
Tendance (f)
Tenue (f)
Très
Trop
T-shirt (m)
Veste (f)
Vêtement (m)

Unité 5

Accompagner
À l'extérieur
Aliment (m)
Alimentaire
Banane (f)
Barre de céréales (f)
Basket (sport) (m)
Baskets (chaussures) (f)
Biscuit (m)
Boire
Boisson (f)
Bouger
Café (m)
Camp (m)
Cantine (f)
Carotte (f)
Céréales (f)
Club de sport (m)
Collectif
Compléter
Composer
Concombre (m)
Correctement
Corps (m)
Course/course à pied (f)
Crudités (f)
Danse (f)
Déjeuner (m)
Dépenser
Dessert (m)
Dîner (m)
Eau (f)
Énergie (f)
Équilibré
Emporter
En forme
Entrée (f)
Esprit d"équipe (m)

Facilement
Fast-food (m)
Foot/football (m)
Force (f)
Frite (f)
Fromage (m)
Fruit (m)
Grignotage (m)
Grossir
Habitude (f)
Jus (m)
Ketchup (m)
Lait (m)
Légume (m)
Match (m)
Mayonnaise (f)
Menu (m)
Moutarde (f)
Muscle (m)
Nager
Natation (f)
Nourriture (f)
Œuf (m)
Œuf à la coque (m)
Pain (m)
Patin à glace (m)
Patinoire (f)
Pâtes (f)
Petit-déjeuner (m)
Piscine (f)
Pizza (f)
Plat prinicipal (m)
Pomme (f)
Poire (f)
Poisson (m)
Pratiquer
Préférer
Pressé(e)

Produit laitier (m)
Randonnée (f)
Raquettes (f)
Remplacer
Repas (m)
Risqué(e)
Riz (m)
Rondelle (f)
Rollers (m)
Rugby (m)
Sainement
Salade (f)
Santé (f)
Se sentir bien/mieux
Soupe (f)
Sauter
Skier
Ski de fond (m)
Ski de piste (m)
Slalomer
Snowboard (m)
Se dépasser
Se détendre
S'ennuyer
Sucrer
Technique (f)
Tennis (m)
Thé (m)
Tomate (f)
Tranquillement
Varier
Vélo (m)
Viande (f)
Vitesse (f)
Volley/volleyball (m)
Yaourt (m)
Yoga (m)

Lexique

Unité 6

Acheter les billets
À la campagne
À l'étranger
Aller-retour (m)
Aller à la plage
Bronzer
Club de randonnée (m)
Compartiment (m)
Couchettes (f)
Crème solaire (f)
Découvrir
Dormir à la belle étoile
Élargir ses horizons
Excursion (f)
Faire de la plongée
Faire du skate
Faire la grasse matinée
Faire une réservation
Famille d'accueil (f)
Forêt (f)
Horaires (m)
Lac (m)
Lavande (f)
Louer une chambre
Luge (f)
Lunettes de soleil (f)

Maillot de bain (m)
Mer (f)
Olivier (m)
Pays (m)
Places en seconde (f)
Première classe
Région (f)
Réserver en ligne
Routine (f)
Seconde classe
Séjour (m)
Service (m)
Serviette (f)
Sommet (m)
Sortir en discothèque
Sports collectifs (m)
Sud (m)
Tarif réduit (m)
TGV : train à grande vitesse (m)
Train de nuit (m)
Vigne (f)
Village (m)
Ville (f)
Vivre de nouvelles expériences
Voyage de nuit (m)

ACTIVITÉS VIDÉO

Résumé

Pauline, Sarah et Antoine prennent le petit-déjeuner sur le balcon et parlent de leurs familles.

Objectifs

- Décrire le caractère de quelqu'un
- Faire une description physique
- Parler d'une personne et de ses centres d'intérêt
- Demander des informations sur une personne

 ## Activité d'observation

1 **Dites si les phrases suivantes sont vraies ou fausses.**

	Vrai	Faux
ⓐ Pauline est blonde.	☐	☐
ⓑ Antoine porte une chemise.	☐	☐
ⓒ Sarah a un pull rouge.	☐	☐
ⓓ Pauline paraît joyeuse.	☐	☐

2 **Choisissez la bonne réponse.**

ⓐ Pauline a les cheveux...
1. décoiffés.
2. attachés.
3. courts.

ⓑ Antoine porte une chemise...
1. à carreaux.
2. à rayures.
3. simple.

ⓒ Sarah porte...
1. un short.
2. une jupe.
3. un jean.

Activité de compréhension

1 **Dites si les phrases suivantes sont vraies ou fausses.**

	Vrai	Faux
ⓐ Pauline aime le thé.	☐	☐
ⓑ Sarah s'entend très bien avec sa famille.	☐	☐
ⓒ L'oncle d'Antoine n'a pas de cheveux.	☐	☐
ⓓ L'oncle d'Antoine n'a pas d'humour.	☐	☐

2 **Choisissez la bonne réponse.**

ⓐ L'oncle d'Antoine est...
1. barbu.
2. chevelu.
3. grand.

ⓑ La famille de Sarah est...
1. souriante.
2. calme.
3. stricte.

ⓒ Antoine et sa tante vont souvent...
1. en boîte de nuit.
2. jouer au football.
3. regarder la télévision ensemble.

Résumé
Des Parisiens parlent de leur ville et de leur habitat.

Objectifs
- Décrire un lieu
- Dire quels types de commerces il y a
- Décrire ses lieux préférés : ce qu'on fait, où on sort avec ses amis

 ## Activité d'observation

1 Dites si les phrases suivantes sont vraies ou fausses.

	Vrai	Faux
a La tour est entourée de tramways.	☐	☐
b La salle de bain du studio possède une douche.	☐	☐
c Le département du 95 est proche de Paris.	☐	☐
d Paris compte 5 arrondissements.	☐	☐

2 Choisissez la bonne réponse.

a La grande tour est...
1. en pierre de taille.
2. en béton blanc.
3. de toutes les couleurs.

b Le studio est équipé avec...
1. un lit en mezzanine.
2. un canapé-lit.
3. des lits superposés.

c Les Champs-Élysées sont décorés avec...
1. des fleurs.
2. des décorations de Noël.
3. des drapeaux.

Activité de compréhension

1 Dites si les phrases suivantes sont vraies ou fausses.

	Vrai	Faux
a Le xe arrondissement est un quartier d'affaires.	☐	☐
b Le département du 95 est en banlieue Parisienne.	☐	☐
c Un appartement exposé à l'Est est lumineux le soir.	☐	☐
d La banlieue parisienne est très animée.	☐	☐

2 Choisissez la bonne réponse.

a Dans un appartement de type F3, il y a...
1. trois chambres.
2. deux chambres et un salon.
3. deux salons et une chambre.

b Le Marais est un quartier...
1. commerçant.
2. d'affaires.
3. branché.

c Le quartier des Champs-Élysées
1. est un quartier typique de Paris.
2. une zone touristique.
3. un quartier d'affaires.

ACTIVITÉS VIDÉO

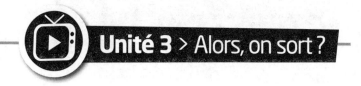

Résumé

Pauline et Sarah arrivent chez Antoine et discutent de leur organisation pour aller à une soirée.

Objectifs
- Inviter quelqu'un à faire quelque chose
- Accepter ou refuser une invitation
- Donner des instructions

Activité d'observation

1 Dites si les phrases suivantes sont vraies ou fausses.

	Vrai	Faux
ⓐ Antoine mixe de la musique.	☐	☐
ⓑ Pauline s'assied en face d'Antoine.	☐	☐
ⓒ Sarah apporte un plateau.	☐	☐
ⓓ Antoine s'en va avec les filles.	☐	☐

2 Choisissez la bonne réponse.

ⓐ Antoine travaille sa musique avec...
1. une table de mixage.
2. un synthétiseur.
3. une guitare.

ⓑ Antoine est assis sur...
1. un canapé.
2. un fauteuil.
3. une table.

ⓒ Sarah apporte...
1. du jus d'orange.
2. du thé.
3. du café.

Activité de compréhension

1 Dites si les phrases suivantes sont vraies ou fausses.

	Vrai	Faux
ⓐ Antoine va à l'anniversaire de Paul.	☐	☐
ⓑ Pauline est gênée.	☐	☐
ⓒ Paul est photographe de mode.	☐	☐
ⓓ Paul voyage en bateau.	☐	☐

2 Choisissez la bonne réponse.

ⓐ L'amie de Pauline joue...
1. de la guitare.
2. du piano.
3. de la trompette.

ⓑ Antoine préfère aller à l'anniversaire...
1. en métro.
2. à moto.
3. en voiture.

ⓒ Paul fait des photos...
1. de sport.
2. de mode.
3. de paysages.

ACTIVITÉS VIDÉO

 Unité 4 > Génération conso'

Résumé

À l'occasion d'une émission de radio, Christophe et Nadia nous parlent des nouvelles technologies.

Objectifs

- Exprimer un vœu, un souhait
- Exprimer les comparaisons (avantages, désavantages)
- Parler du shopping et de la mode
- Faire des achats dans un magasin

Activité d'observation

1 Dites si les phrases suivantes sont vraies ou fausses.

	Vrai	Faux
a Nadia, l'animatrice, est blonde.	☐	☐
b Christophe porte un T-shirt vert.	☐	☐
c L'émission de radio est filmée en direct.	☐	☐
d Nadia et Christophe parlent dans des smartphones.	☐	☐

2 Choisissez la bonne réponse.

a Nadia porte...
1. un casque de moto.
2. un casque audio.
3. un chapeau.

b L'émission se déroule...
1. dans un studio de radio.
2. dans un studio de télévision.
3. dans le salon des nouvelles technologies.

c Le studio d'enregistrement est...
1. sombre.
2. vide.
3. coloré.

Activité de compréhension

1 Dites si les phrases suivantes sont vraies ou fausses.

	Vrai	Faux
a Le smartphone ne peut pas accéder aux réseaux sociaux.	☐	☐
b La tablette a un plus grand écran que le smartphone.	☐	☐
c Les lunettes avec de la réalité augmentée sont déjà en vente.	☐	☐
d Une tablette est plus petite qu'un ordinateur.	☐	☐

2 Choisissez la bonne réponse.

a Le streaming c'est :
1. un courant d'air chaud.
2. lire des vidéos sur Internet.
3. télécharger des vidéos sur Internet.

b Par rapport au smartphone, la tablette est...
1. plus petite.
2. moins portable.
3. de la même taille.

c L'homme en gris aimerait...
1. une interface plus conviviale.
2. une interface en relief.
3. une interface mentale.

ACTIVITÉS VIDÉO

Résumé

Pauline et Sarah font du footing à Montmartre, dans Paris. Elles s'arrêtent pour faire des étirements.

Objectifs

- Décrire ses intérêts
- Donner et recevoir des conseils
- Exprimer son opinion
- Expliquer comment rester en forme
- Décrire ses habitudes

 ## Activité d'observation

1 **Dites si les phrases suivantes sont vraies ou fausses.**

	Vrai	Faux
a Sarah est épuisée.	☐	☐
b Elles commencent par étirer leurs jambes.	☐	☐
c Elles contemplent le paysage.	☐	☐
d Pauline ne boit pas d'eau.	☐	☐

2 **Choisissez la bonne réponse.**

a Elles sont en tenue...
1. de soirée.
2. de ville.
3. de sport.

b Elles s'arrêtent pour
1. souffler et s'étirer.
2. discuter et s'amuser.
3. s'allonger et fermer les yeux.

c Pauline est...
1. vive.
2. contente.
3. fatiguée.

 ## Activité de compréhension

1 **Dites si les phrases suivantes sont vraies ou fausses.**

	Vrai	Faux
a Pauline est sportive.	☐	☐
b Pauline conteste les instructions de Sarah.	☐	☐
c Sarah court une fois par semaine.	☐	☐
d Pauline ne veut pas s'allonger.	☐	☐

2 **Choisissez la bonne réponse.**

a Pauline a mal à la tête car...
1. elle a de la fièvre.
2. son sang circule.
3. elle s'est blessée.

b Pauline dit que le rêve de Sarah était...
1. d'être professeur de sport.
2. d'être boxeuse.
3. d'être militaire.

c Elles repartent pour aller...
1. au métro.
2. courir encore.
3. visiter le quartier.

ACTIVITÉS VIDÉO

Résumé

Des voyageurs parlent de leurs projets d'été et de leurs destinations favorites.

Objectifs

- Parler de ses projets pour l'été
- Faire des réservations
- Acheter des billets
- Se renseigner sur une région, un hôtel, des horaires

Activité d'observation

1 Dites si les phrases suivantes sont vraies ou fausses.

	Vrai	Faux
a Le premier témoin est un adulte.	☐	☐
b La Bretagne est une région très ensoleillée.	☐	☐
c Les plages privées sont peu fréquentées.	☐	☐
d Le dernier témoin voyage en avion.	☐	☐

2 Choisissez la bonne réponse.

a Le deuxième témoin aime...
1. les activités culturelles.
2. les activités aquatiques.
3. les sports de combats.

b La Corse est une région...
1. aux paysages variés.
2. désertique.
3. difficile d'accès.

c La Route 66 est...
1. en Normandie.
2. dans les Alpes.
3. aux États-Unis.

Activité de compréhension

1 Dites si les phrases suivantes sont vraies ou fausses.

	Vrai	Faux
a La Bretagne est réputée pour ses promenades.	☐	☐
b La Corse est une île italienne.	☐	☐
c La voile et la plongée sont des activités nautiques.	☐	☐
d Un vol sec signifie partir au soleil.	☐	☐

2 Choisissez la bonne réponse.

a Saint-Jean-Cap-Ferrat se situe...
1. sur la Côte d'Azur.
2. sur la Côte Landaise.
3. sur la Côte Normande.

b L'été, en Corse, on ne peut pas...
1. aller à la plage.
2. faire du ski.
3. faire de la randonnée.

c Le dernier témoin aime les vacances ...
1. en voyage organisé.
2. improvisée sur place.
3. avec une thématique culturelle.

Imprimé en Italie par Grafica Veneta **Activité vidéo**